引き裂かれるアメリカ

銃、中絶、選挙、政教分離、最高裁の暴走

町山智浩+
BS朝日「町山智浩のアメリカの今を知るTV」制作チーム

SB新書
601

はじめに

本書は、2016年9月から続いているBS朝日のテレビ番組「町山智浩のアメリカの今を知るTV In Association With CNN」の内容を元に、加筆・修正のうえ再構成したものです。

番組開始当時、アメリカは大統領選挙期間中で、僕はドナルド・トランプ氏の遊説を追いかけてアリゾナ、アイオワ、サンノゼ、クリーブランド、そしてニューヨークと各地を回っていました。共和党は、突然登場したこのアウトサイダーをなんとか弾き出そうとしましたが、逆に党を乗っ取られてしまいました。

トランプ氏は以来ずっと、アメリカを分断し続けました。中東やアフリカの国民を入国禁止にしたり、メキシコとの国境に壁を建設しようとしたり、白人至上主義者や武装主義者を応援したり……。警官による黒人殺害に抗議するデモを軍隊で鎮圧しようとさえしました。

2020年の大統領選挙で、トランプ氏はバイデン氏に敗北しました。しかし、負けを認めず、選挙結果を取り消すため、支持者を扇動して議会乱入が起きました。そしてその後、トランプ氏に指名された最高裁判事たちが人工中絶の権利を女性から奪い……。

本番組では、分断の現場を訪れて、両サイドの声を拾ってきました。トランプ氏を支援する活動家たち、彼らに反発する「ANTIFA」、白人至上主義者、ブラック・ライブズ・マター（Black Lives Matter／ＢＬＭ）のデモ隊、武装右翼団体、銃規制論者、人工中絶禁止賛成派・反対派、悪魔崇拝者、Ｑアノンの陰謀論者……。

その過程で、僕があちこちで見てきたことを、オレゴン州ポートランド在住の女優・藤谷文子さんと語り合ってきました。藤谷さんの「一を聞いて十を知る」素晴らしい受け答えにはいつも感服してきましたが、本書でも、藤谷さんの的確な質問やツッコミが、現在アメリカで起きている異常事態を理解するうえで、大きな助けになることと思います。

２０２２年11月、未曽有のインフレと、南部の各州が次々と人工中絶禁止に転じていくさなかで中間選挙が行われました。バイデン政権の支持率が低迷していたことから、「共和党が上下院で圧倒的多数を占める」と予想されていました。そうなれば、バイデン氏を弾劾《だんがい》し、連邦法で人工中絶を禁止し、ウクライナ支援を中止する展開もあり得ました。しかし結果は、共和党は下院は約半数、上院も約半数の約50議席となりました。同年12月上旬に行われるジョージア州の決選投票で勝利し、1議席増やしたとしても、弾劾に必要な3分の2の議席には届きません。

とはいえ、共和党が多数を占める議会は、今後バイデン政権が行う景気対策を全部ブロックしようとするでしょう。バイデン政権下でアメリカの経済が悪化すればするほど、2024年の大統領選挙で共和党が勝利する可能性が高まるからです。

ますます分断を深めていくアメリカですが、希望もあります。それは、投票率の高さです。なにしろ、2020年の大統領選挙の投票率は約66%でした。歌手や俳優も、ご近所さんも皆、当たり前のように政治論争をし、お笑い番組やアニメが政治をネタにする状況が続く限り、アメリカの民主主義は大丈夫だと感じます。本当に心配なのは、日本なんですよ……。

町山智浩

2022年11月吉日

本書はBS朝日の番組「町山智浩のアメリカの今を知るTV In Association With CNN」(2016年〜)を元に構成されています。同番組は、日本人が知っているようでアメリカ社会の"今"を、アメリカ在住の町山智浩と藤谷文子がわかりやすくひも解く今までにないニュースエンタテインメントプログラム。トランプ政権では存在感を増した24時間ニュース専門局「CNN」のリポートを活用しながら、映画や音楽などショウビジネスの話題も織り交ぜて、刻一刻と変化するアメリカの社会問題を徹底的にあぶりだします。アメリカの今を知れば、世界の今、そして日本の今が見えてくる!

町山智浩
東京都出身。コラムニスト、映画評論家。現在カリフォルニア州バークレー在住。映画評論の著作に『「映画の見方」がわかる本』『ブレードランナーの未来世紀』、アメリカについてのエッセイ集に『底抜け合衆国』『アメリカ人の半分はニューヨークの場所を知らない』などがある。

藤谷文子
大阪府出身。女優、脚本家。6代目リハウスガールやガメラ平成三部作などで注目を集め、2000年公開の『式日』(庵野秀明監督)は自身の小説の映画化でもあり、主演もしている。現在オレゴン州ポートランド在住。日米の映画やドラマに出演。主な代表作に『TOKYO!　インテリアデザイン』('08/ミッシェル・ゴンドリー監督)や『Man From Reno』('14/デイブ・ボイル監督)、『風に立つライオン』などがある。

【目次】

第8章 趣味志向、行動、投票先……すべては監視されている？

第9章 武装集団は最高の愛国者？

第10章 白人至上主義者は臆病者？

第11章 不法移民は、なぜ中米三角地帯から来るのか？

第12章 「痛み止め」オピオイドで毎日100人が死亡！

第13章 アジア系は「移民の優等生」から脱却できるか？

★★★

第1章

★★★★★★★★★★

レイプより中絶のほうが重罪に

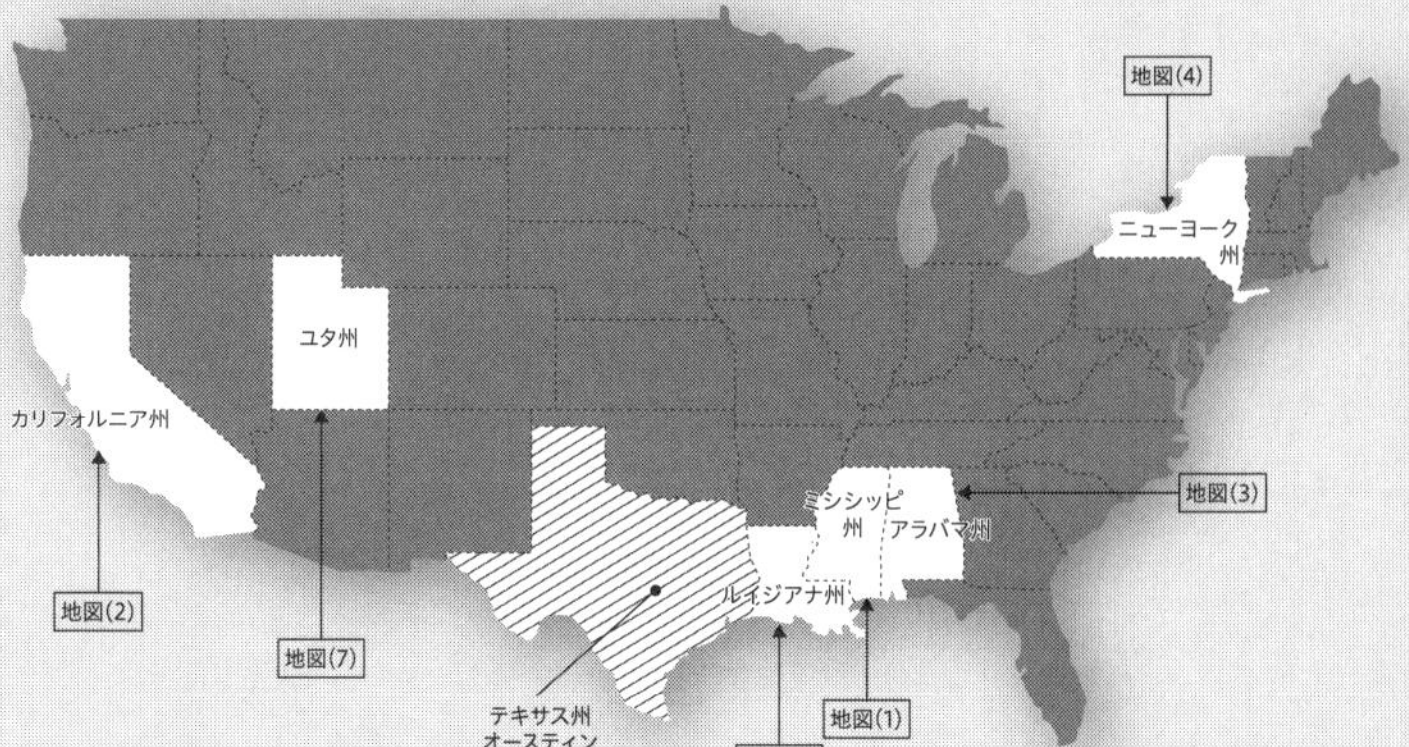

アメリカでは1973年の最高裁判決以来、人工中絶は女性の権利として守られてきました。しかし、2022年6月24日、最高裁はその73年の判決を覆し、「中絶の権利は各州の判断に任せる」と判断しました。ミシシッピ州※地図(1)が州法で妊娠15週以降の人工中絶を禁止したことに合憲と判決を下したんです。

これにより、全米13州で自動的に中絶が違法となりました。さらに13州がこの流れに続くと言われています。遠からぬ将来、アメリカ＝「中絶NGの国」になってしまう日がくるのでしょうか？

★最高裁が中絶の権利を守るのを放棄！

町山　この判決は、6月2日に最高裁のサミュエル・アリート判事の「意見書」が政治ニュースサイト「ポリティコ」に流出しました。事前にわかっていたことでしたが、1973年の最高裁判決を破棄する内容が記されていました。
それ以前、アメリカの多くの州では州法で人工中絶を禁止していました。しかし、

73年に最高裁が中絶の禁止を合衆国憲法修正第14条違反だとしたんです。第14条にはこうあります。

「いかなる州もアメリカ市民の特権を制限する法を作り、あるいは強制してはならない。いかなる州も法の適正な手続きなしに個人の生命、自由、あるいは財産を奪ってはならない」

つまり中絶の禁止は、この条項に反しているわけです。これに基づいて、73年に中絶が合法化されました。

藤谷 ずいぶん遅いように思いますが。

町山 その73年の最高裁判決をひっくり返してしまうのが、今回の最高裁判決です。

藤谷 ひっくり返されるとどうなるのでしょう?

町山 中絶に関しては各州の州法に任されます。すると自動的に、13の州で人工中絶が禁止されます。

自動的にというのは、それらの州が、ここ数年で、中絶を禁止する州法を作ったからです。2020年に最高裁判事のメンバーは共和党の大統領に指名された判事が多数派になりましたから、憲法判断が変わると見越しての動きですね。

【図1】中絶が禁止されることになった13州

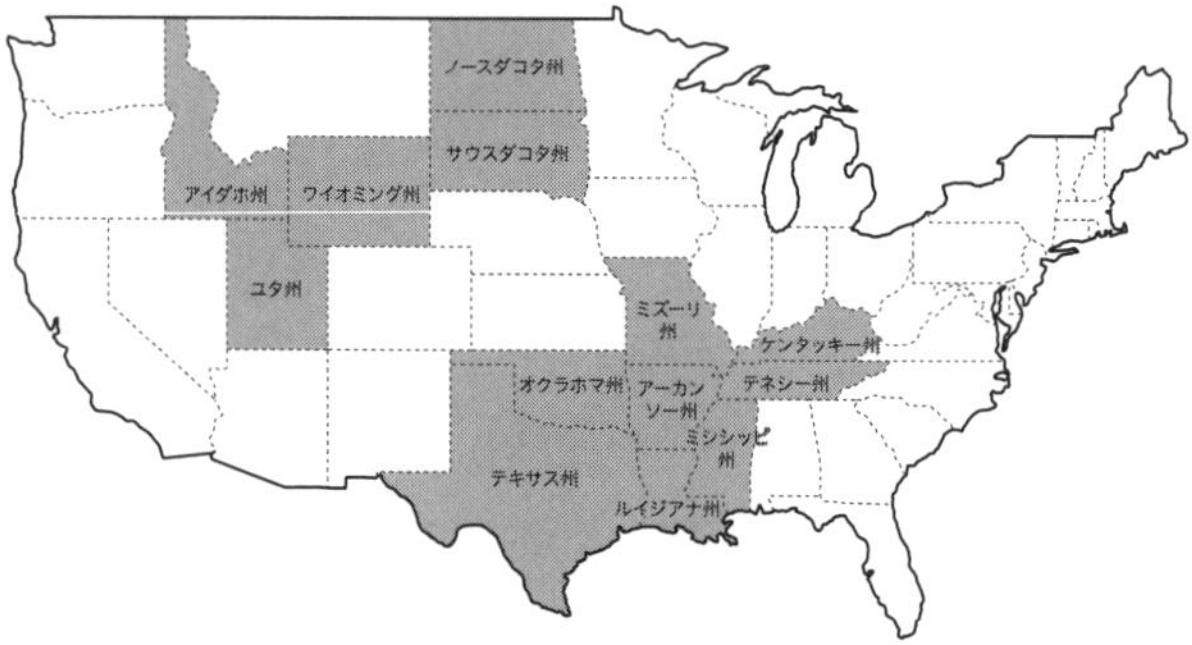

※2022年10月14日時点

上の地図を見てください。どれも南部や中西部の州で、州議会の過半数と州知事が共和党の州、中絶に反対するキリスト教保守派、つまり福音派やカトリックの人口が多い州です。

藤谷　そういう州は性教育を義務づけられていないですもんね。

町山　キリスト教保守派は避妊にも反対していますから、公立学校で避妊の仕方を教えないんです。

藤谷　避妊を教えず、中絶も禁止。このあたりの性教育を日本の学校では受けますが、正反対ですね。

町山　性教育を受けない州では自然と10代女性の妊娠が多くなり、シングルマザーが増えて、女性の大卒率は低くなります。貧困家庭も増えて、それが下の世代で繰り返されるわけです。

藤谷 カリフォルニア※地図(2)など、中絶を禁止していない州は、今まで通り変わりないんですね。同じアメリカ国内で大きな差が出てきますね。

★妊娠を自覚した時には、もう手遅れ!?

町山 たとえば、テキサス州では既に2021年9月1日に、母親の命に危険がある場合を除いて妊娠6週目以降の中絶を禁止する「**ハートビート法**」が施行されました。これは、胎児に心臓が形成された時点で人間とみなし、中絶を殺人とする法律です。でも、女性が妊娠に気づくのはたいていの場合、つわりなどの症状が出始める5週目あたりですよね。

藤谷 妊娠経験のない女性は、気づかないことも多いです。

町山 仮にその状況で気づいたとしても、中絶ができる時間的猶予はたった1週間しかないんです。ただでさえ、中絶ができる施設がほとんどテキサスにはない状態でした。

それこそ、車で100キロ走らないと見つからないぐらいまでに数が減らされていたんです。

藤谷　ティーンエイジャーなら自分の車も持っていないでしょうしね。

町山　しかも、親に言えないという問題もあるじゃないですか。そうこうしているうち、あっという間に1週間過ぎてしまうわけで、実質的には人工妊娠中絶禁止と同じようなものです。これは大変な問題です。

★恐怖！　中絶狩りの賞金稼ぎシステム

町山　今回のテキサスの中絶禁止法で一番問題なのは、レイプ、近親相姦などの犯罪行為による妊娠であっても、6週目以降は中絶できないとしていることです。これは本当にとんでもないことで、この州法を通したグレッグ・アボット知事に対して、ある記者が「おかしいでしょう」と質問しました。すると知事は「テキサスからすべてのレイピスト（強姦の犯人）を排除するよう努力します」と答えたんです。「私はレイピストです」と顔に書いて道を歩いているわけじゃないのに。

藤谷 2019年5月にアラバマ州※地図(3)で成立した人命保護法でも、レイプや近親相姦などによる望まない妊娠であっても中絶を認めません。

町山 そういう州では中絶した女性を罰するんですか?

藤谷 さすがにそれはできないので、中絶手術を担当した医師を罰します。アラバマでは10年から最長99年の禁固刑が科せられます。ちなみにアラバマ州のレイプの刑期は最高20年です。

町山 レイプのほうが刑期が短いんですね。

藤谷 テキサス州では、中絶に協力した人は医師以外にも全員罰せられます。女性を病院まで運んだタクシー運転手や、アドバイスした人もです。

町山 「妊娠しちゃった、どうしよう?」と困っている女性の相談に乗っただけで? でも、それを誰がどうやって知るんですか? 警察?

藤谷 一般市民が中絶協力者を通報すると、賞金がもらえるんです。民事で協力者を訴えて最大1万ドルを得ることができる。

町山 きっと、お金目当てで通報する人もいるでしょうね。

藤谷 たくさんの賞金目当ての人たちがネットで情報交換しています。

藤谷　怖いですね。互いを監視させることで誰も手助けできなくして、妊娠した人をどんどん追い詰めていく。本当に「妊婦狩り」ですよね。

★中絶支援は逃亡奴隷支援と同じ

この状況と闘いながら、テキサス州の女性たちを法的手続きや金銭面でサポートしているジェーンズ・デュー・プロセスという団体があります。「ジェーンズ・デュー（ジェーンの使命）」という団体名は、多くの州が中絶を禁止していた1969年に、中絶を助けていた女性たちの秘密団体「ジェーン・コレクティブ」から来ています。スタッフのゲイリーさんに話を聞きました。

ゲイリー　私たちは望まない妊娠で困っている女性たちに中絶費用を提供してきました。中絶の費用約600ドルは、10代の少女にとっては高額です。今回のハートビート法によって費用はさらに高額になるでしょう。

町山　10代の若者の望まない妊娠が多いのは、テキサス州ならではの理由がありますよね。

ゲイリー　テキサスは全米で最も性教育の普及が進んでいない州です。セックスに関する誤った情報を持っていたり、まったく知識がなかったりする人が多く、避妊や中絶についても知識が乏しい人がたくさんいます。

町山　ハートビート法の成立で、あなたたちの活動はどう変わっていきますか？

ゲイリー　恐ろしいです。この法律が政府が市民を監視するのではなく、市民に市民を監視させるからです。私たちは個人を特定されるような形で支援することはできません。少女たちに高校の制服や大学名がわかる服装での外出もさせられません。車も私物ではなくウーバー（アメリカのライドシェアサービス）などを利用しますが、そのドライバーすらも訴えられる可能性があります。状況は悪化しています。

テキサス州のハートビート法は、南北戦争前の「逃亡奴隷法」とよく似ています。「逃亡奴隷法」は、脱走した奴隷を見つけて通報すると賞金がもらえる法律で、賞金目当ての奴隷ハンターがいっぱいいました。テキサス州は、脱走した黒人奴隷と女性を同じように考えているようにも思えてきます。

それでも、かつて南部の奴隷を助ける人々がいました。「地下鉄道（アンダーグラウンド・

レイルロード）」という、南部の中で奴隷制に反対する白人たちの秘密ネットワークで、密かに黒人をかくまってリレー方式で北部に逃がしてあげるんです。テキサス州で通報される危険を冒しながらも女性たちを助けているジェーンズ・デュー・プロセスは、現代の「地下鉄道」ですね。

★最高裁判事は、9人中6人が中絶反対

町山　漏出した意見書で、アリート判事は「中絶の権利は我が国の歴史と伝統に基づかない」と書いています。

さらに彼は「20世紀になるまで、中絶を認める憲法や州法はなかった」と書いていますが、これは嘘というか何というか。事実としては、1821年から、コネチカット州を皮切りに各州で中絶禁止法が制定されるまで、中絶を禁止する法律が存在しなかったんです。でも、20世紀に入ると、ほぼすべての州で人工中絶は違法になりました。

その頃からアメリカでは何度かキリスト教信仰回帰運動が起こって、社会に対して

より保守的で厳格なモラルを求めるようになっていきました。こうした動きの中で、中絶だけでなく、同性愛も州法で禁じられ、ついにはお酒も憲法で禁じられることになります。

藤谷 宗教的な理由だったわけですね。

町山 今回、最高裁で中絶禁止を合憲とした6人の判事全員が厳格なカトリック信者で、宗教上の理由で中絶に反対しています。

藤谷 最高裁判事9人中6人がカトリックというのは偏っていませんか？

町山 カトリック信者はアメリカ合衆国の人口の約22％ですから、明らかにバランスがおかしいですね。彼ら6人の判事は、共和党の大統領に指名されました。

★家族計画連盟は、ほぼ命がけ！

町山 アメリカで妊娠した女性が、産むかどうかを自分で決める権利を持つべきだという運動を始めたのはマーガレット・サンガー（1879年〜1966年）という女性です。

1879年、ニューヨーク※地図(4)州で生まれたサンガー氏は、母親が18回妊娠し、子育てに忙殺される姿を見て育ちました。彼女自身も3人の子どもを出産し、子育てに追われ、看護師の夢を諦めました。サンガー氏は女性に避妊方法を教える運動を始めましたが、わいせつ罪で逮捕されました。当時は、妊娠や出産について公に語ること自体がわいせつとされたんです。1921年、サンガー氏は「**アメリカ産児制限連盟（American Birth Control League）**」を設立しました。これは現在も「プランド・ペアレントフッド（Planned Parenthood Federation of America／全米家族計画連盟）」として活動を続けています。

現在、プランド・ペアレントフッドでは、妊娠して誰にも相談できない少女に資金を援助したり、中絶のための医院を紹介したりしています。そのため、中絶反対派から脅迫されたり、銃撃されたりしています。

たとえば2015年にはコロラド・スプリングス市のプランド・ペアレントフッドが、キリスト教福音派の男に銃撃され、3人が亡くなるという事件がありましたが、犯人は中絶された胎児の体が金で取引されていると信じていました。

1960年代、女性解放運動が全米に広がり、1970年、中絶の権利を求める運動家たちがジェーン・ローという匿名女性を原告に擁立して、中絶を禁止するテキサス州法は違憲であると、ダラス郡の地方検事ヘンリー・ウェイドを訴え、裁判は最高裁まで持ち込まれました。これを「ロー対ウェイド裁判」と呼びます。1973年1月22日、最高裁は、テキサス州の中絶禁止法を7対2で合衆国憲法修正第14条に反している、と判断し、人工妊娠中絶がアメリカで初めて合法化されました。

★共和党が「中絶反対」をスローガンに掲げたわけ

藤谷　この73年の判決に不満だった人たちも大勢いたわけですね。

町山　はい。特に、福音派と呼ばれる聖書原理主義的なキリスト教徒やカトリックの信者の人たちは、人工中絶は聖書の教えに反している、と怒りました。そして、そういう判決を下した最高裁の判事を替えよう、という運動が起こります。最高裁の判事の指名は大統領だけが持つ権利です。判事の意見を変えるためにまずカトリック教徒の意見を尊重する大統領を選ぼう、という動きです。

福音派は国民の約25％から約30％、カトリックは約22％です。さらにユダヤ教の厳格派も中絶を禁じていますから、合計すると過半数を占める計算です。

そこでジェリー・ファルウェルという牧師が「我ら宗教保守派は多数派なのだから、力を合わせて投票に動員をかけて選挙を動かそう」と、「モラル・マジョリティ(Moral Majority)」という組織を立ち上げました。そして1980年の大統領選挙で、共和党のロナルド・レーガン候補を推薦しました。

藤谷 レーガン氏は「宗教保守派」だったんですか？

町山 違います。でも、「私に投票してくれれば、保守的な人を判事に選びます」とモラル・マジョリティに約束したんです。そして宗教保守派の票を集めたレーガンは、当選して大統領になりました。これ以来、福音派を中心とする宗教保守勢力は共和党の支持基盤になり、共和党の議員はみんな中絶反対のスローガンを掲げるようになりました。

藤谷 そういう闘いが、73年から今に至るまでずっと続いてきたんですね。

町山 50年近く、中絶禁止は共和党と宗教保守派の悲願だったんです。それがついに実現したわけです。

★養子縁組は解決策になるのか？

中絶反対派は自分たちをプロライフ（命の味方）と呼び、中絶の権利を認める側はプロチョイス（女性の選択する権利の味方）と呼び、対立し続けています。プロライフの活動家である、ドン・ネルソン氏に意見を聞きました。

町山　あなたは、レイプや近親相姦による妊娠中絶にも反対しているんですか？

ネルソン　中絶権利擁護派はいつもそれを持ち出します。でも、レイプや近親相姦での妊娠中絶は全体の0・5％以下にすぎません。彼らは、自分の主張のためにレイプや近親相姦を利用しているのです。とても腹立たしいです。

町山　腹立たしい？

ネルソン　望まない妊娠のせいで大学に行けず、女性の将来の可能性が狭まり、生活が苦しくなり、素敵な男性との出会いがなくなるというのなら、2、3歳の子どもについてはどうなのでしょうか。同じように「3歳の子が私の復学の邪魔になる」「この子がいるから生活が苦しい」「この子のために素敵な男性と知り合えない」と同じことが言えますか？　子どもを「なかったことにする」なんてできないでしょう？　要するに胎児は既に1人の人間ということです。母体に危険がおよぶ場合以外は絶対に中絶はするべきではありません。

町山　でも、生まれた後はどうするんですか？　経済的にその子たちを育てるのが難しい場合です。

ネルソン　クライシス・プレグナンシー・センター（Crisis Pregnancy Center／危機妊娠センター）があります。そこで養子縁組を行っています。

町山　クライシス・プレグナンシー・センターは、プランド・ペアレントフッドに対抗してプロライフ派が始めた施設です。妊娠して困った少女がネットで検索すると、クライシス・プレグナンシー・センターの広告が出てきて、「相談に乗ります」と書いてあります。で、そこに行ってみると、「中絶は罪だから、何が何でも産みなさい」と説得されます。そこで養子縁組を行っているというんです。
これは、最高裁のエイミー・コニー・バレット判事の主張でもあります。彼女はカトリック教徒で、避妊をせず、5人の子どもを産んでいます。末の子は妊娠初期に

藤谷　ダウン症と判断されましたが、産みました。さらに2人を養子にしています。

判事は宗教的な信念から中絶に反対しているんですね。その養子縁組はどの程度機能しているのでしょうか？

町山　それが、養子自身のプライバシーがあるので調査しにくく、はっきりとはわからないんです。

★誇張しすぎの胎児人形

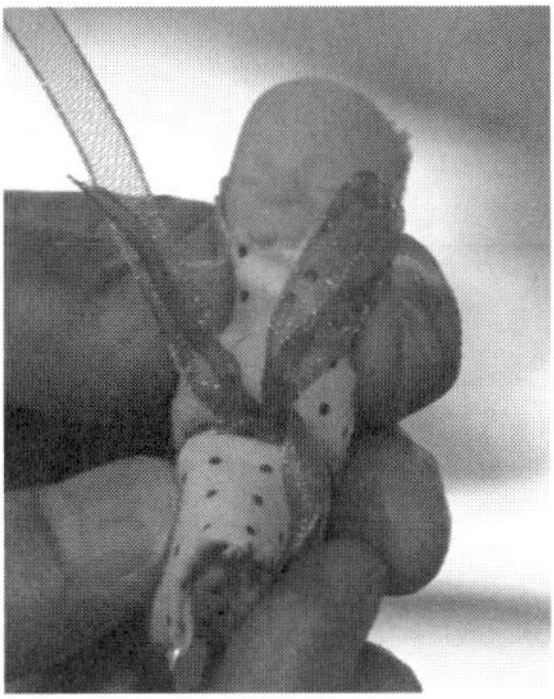

胎児人形

プロライフの人々は、中絶禁止を啓蒙するため、胎児人形を使っています。妊娠初期の胎児の人形を、たとえばクライシス・プレグナンシー・センターなどで、中絶を考えている少女に持たせて、産むよう説得するんです。

この胎児人形は医学的に不正確、と批判されています。その時期の胎児よりもずっと育った形に誇張していいるんですね。

２０１８年、キリスト教信者のためのクリスチャン・ロック・フェスを取材した際、アーティストのブースに交じって胎児人形の業者が出店していました。

業者の女性　これは22週目の胎児です。

町山　本当ですか？

業者の女性　医師の監修のもと解剖学的にも正確に作ってあります。

町山　どれぐらいの数、作っているんですか？

業者の女性　国内だけで３０００以上の店舗で販売しています。もし中絶を考えている女性がいたら、女性の手の上に載せて「これがお腹にいる赤ちゃんの姿よ」と言って中絶をやめさせるのです。

町山　こちらの子は何週目ですか？

業者の女性　10週目です。人々はこの10週目の胎児の姿を知るべきなのです。私は女性の地位向上には心から賛成しています。だからこそ、こういう人形が必要なのです。無知による後悔をしないよう正しい選択へ導くことが、私たちの活動の目的です。

★抗議デモ「ウィメンズ・マーチ」

テキサス州でハートビート法が施行された1ヶ月後の2021年10月2日、女性の権利を求める抗議デモ「ウィメンズ・マーチ（Women's March／女性の行進）」が全米600以上の都市で行われました。

ウィメンズ・マーチは、女性蔑視や人種差別的な発言を繰り返すトランプ大統領（当時）に抗議するため、2017年1月のトランプ政権発足と同時に始まったムーブメントです。

テキサス州の州都※地図⑤オースティンで行われたウィメンズ・マーチを取材しました。

テキサス州議事堂前広場での郡政委員ブリジッド・シェア氏のスピーチです。

シェア　私たちは絶対に後戻りしません！　テキサス州政府の間抜けどもはマスクをし

ウィメンズ・マーチの参加者たち

ない自由を守り、ワクチンを打たない自由を守るけれど、女性が自分の体をどうするか選択する自由を奪った！　テキサスの女性は負けません！　２０２２年11月の選挙で奴らを追い出しましょう！「選挙で奴らを追い出せ！」

聴衆「選挙で奴らを追い出せ！」「選挙で奴らを追い出せ！」「選挙で奴らを追い出せ！」

続いて、女性たちを助けている弁護士エリザベス・マイヤー氏のスピーチです。

マイヤー　今、中絶禁止法に関する13件の訴訟が起こされています。しかし私たちは勝利します！　憲法上の人権を知りながらこの法律を作った人たちは卑怯者だ。私は中絶禁止法に違反しました。鼓動が検知された胎児の中絶を求めるテキサス州の女性を助けました。医療機関で安全に人工中絶を受けられる情報を伝えました。卑怯者たちよ、私を訴えろ！　受けて立つ！

町山「私を訴えろ」とは勇敢ですね。

マイヤー　本当は裁判所で白黒つけたいと思っていますが、州政府は尻込みしています。私が訴えられることで実現するなら、訴えてもらって構いませんよ。

テキサスで長年暮らしてきた女性にも話を聞きました。

町山　テキサス州は変わりましたか？

業者の女性　悪い方向へ向かっています。ジョージ・W・ブッシュ氏が知事だった時期でさえここまでひどくはなかったです。リック・ペリー氏やグレッグ・アボット氏が知事になった頃から腐敗政治が続いています。黒人が多い地区の投票所を閉鎖したりして。

町山　次の選挙には希望が持てますか？

業者の女性　アボット知事を追い出さない限りそうは思えません。難しい闘いです。抗議する女性たちの多くがハンガーを持っています。

業者の女性　中絶が禁止されていた時代、ハンガーを使った人工中絶で多くの女性たちの命が失われました。アボット知事はその時代に戻そうというんです。

この抗議集会で特に注目を集めたのは、12歳の少女ヴィエナさんのスピーチでした。

ヴィエナ 12歳の私がセックスについてスピーチすべきではない、と言う人もいます。でも、10歳の子が妊娠する可能性もあるんです。少女の9人に1人がレイプの被害にあっています。テキサス州では13歳の少女が自分の祖父にレイプされる事件がありました。妊娠6週目を過ぎて生理の遅れに気づいたそうです。中絶禁止法によって少女は出産しなければなりません。もし彼女が中絶をしたら、レイプ犯の祖父は少女を訴えて1万ドルを手にできるのです。私は自分の体のことは自分で決めたいです。

★中絶禁止は票のため

ウィメンズ・マーチに参加していた女性の牧師で、自分自身も中絶経験があるというリヴ・ロビンソン氏に、なぜ、共和党やテキサス州知事たちは中絶を禁止しようとするのか訊ねました。

ロビンソン　共和党が中絶禁止を訴えるのは、信仰心が篤い白人が投票してくれるからです。近い将来アメリカの白人は少数派になり、二度と多数派には戻れないでしょう。ですから共和党はこの法律で恐怖を煽り、より多くの白人に投票させようとしています。しかし、残念ながら被害を受けるのは貧しい人たちです。信仰心の篤い人たちの言うことは結局、「生命」尊重ではなく「出産」尊重なのです。共和党は子どもを産んだ後の女性を支援することにまったく関心がありませんから。

町山　白人の共和党議員たちは、「神」や「中絶」を選挙の道具に使っていると？

ロビンソン　その通りです。

町山　テキサス在住の共和党支持者の圧倒的多数、数字的にいうと68%が今回の中絶禁止法、ハートビート法に賛成しているんです。

２０１７年のギャラップ調査によるとテキサス州民の41%は共和党支持です。民主党支持は38%。で、２０２２年5月のテキサス大学の調査によると、中絶の権利を支持するテキサスの有権者は78％でした。

藤谷　つまり、テキサスの州知事や議員さんは自分のコアな支持者、全体としては少数派のために中絶を禁止したんです。

町山　アメリカ全体ではどうですか？

藤谷　NPR（National Public Radio／アメリカ公共ラジオ放送）の調査によると、今回のテキサスの州法に対して、すべてのアメリカ人の58％が反対で、しかも民間人に違反を訴えさせるやり方に対しては国民の74％が反対なんです。

町山　国民の多数が反対なのに、最高裁の多数派が決めてしまうと。でも、国民の過半数が中絶の権利を守る側だとすると、キリスト教徒だからといって誰もが中絶に反対しているわけじゃないんですね。

藤谷　はい。ピューリサーチセンターの調査（2014年）によると、福音派は6割以上が中絶禁止派ですが、カトリックの中絶反対派は半分に満たないです。

町山　ホワイトハウスの記者会見で「なぜ、バイデン大統領はカトリック信者なのに人工妊娠中絶に反対しないのですか？」と質問した男性記者がいましたね。すると、大統領報道官（当時）のジェン・サキ氏が「彼は女性の権利を信じ、女性が選択すべきと思っています。あなたは妊娠したことも選択に迫られたこともないでしょう。女性にとっては信じられないほど難しい選択です」と蹴散らしていたのが、すごくかっこいいなと思いました。

町山 まったくその通りです。この法律を通したテキサスの州議会は上院と下院の合計人数178人中、男性は136人で圧倒的多数なんですよ。

藤谷 やっぱり。男性に女性の体のことなんてわからないですよね。女性の体について男性に発言権があること自体がすごく不思議です。

町山 中絶を禁止した13州のうち12州の州知事が男性ですからね。

藤谷 カリフォルニアなど、中絶禁止法がない州では、中絶禁止の州から逃げてきた女性たちをサポートする予算を組みましたね。

町山 州法で中絶を禁止したフロリダやルイジアナ、※地図(6) ユタなどでは※地図(7) 州の裁判所の判事が州法の実施を2週間ほど停止して、それが妥当かどうか審理することになりました。最高裁の暴走を州の裁判所が止めようとするなんて、アメリカは本当にどうかしています。

★★ アメリカの今を知るキーワード ★★

ハートビート法
胎児の心拍が確認される妊娠6週目以降の中絶を禁止する法律。

アメリカ産児制限連盟
1921年設立。女性が自分の生殖能力をコントロールすることを奨励。

プロライフ
アメリカで、胎児の生命の尊重を主張し、中絶絶対反対を掲げる立場。逆に、中絶賛成を掲げる立場をプロチョイスという。

胎児人形
胎児の様子を実物大でわかりやすく表現した人形。12週から35週までの胎児の発育過程を重さ、大きさで実感することができる。

ウィメンズ・マーチ
2017年ハワイ在住元弁護士のテレサ・ショックという女性のFacebookへの投稿をきっかけに始まった抗議運動。

第2章

★★★★★★★★★★

車には免許がいるが、銃には免許がいらない

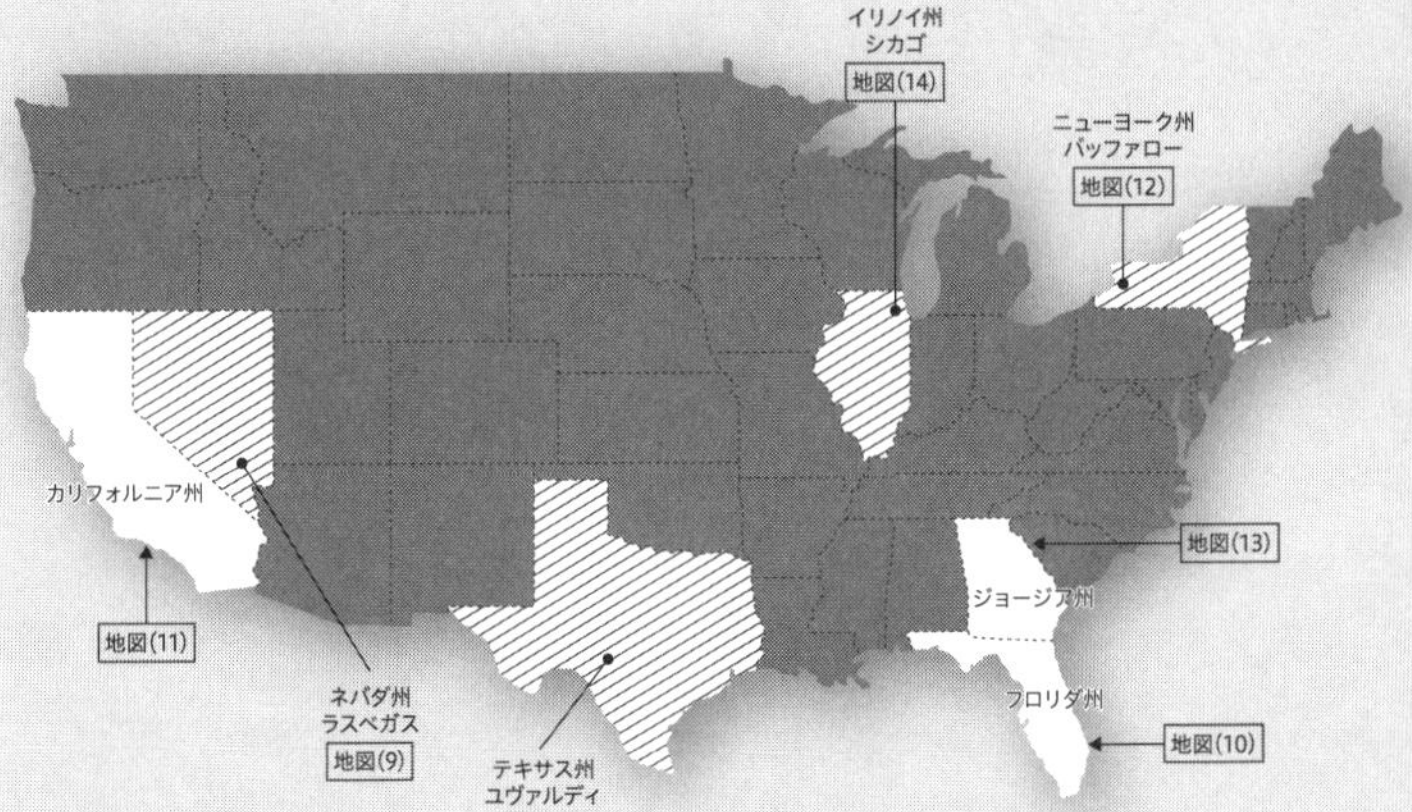

２０２２年に入ってからの５ヶ月間で、全米でなんと２００件以上の銃乱射事件が起こっています。銃とは縁遠い日本人からすれば、とうてい想像もできないような話です。

５月24日朝、テキサス州ユヴァルディ（※地図⑻）では、18歳の少年がＡＲ15型のアサルト・ライフルを持って小学校に乱入し、21人を殺害しました。

メキシコとの国境に近い小さな町、ユヴァルディに住むサルヴァドル・ラモスは、一緒に暮らす祖母を撃ち、近所の小学校に飛び込み、授業をしていた教室に押し入り、40分ほど校内で銃を乱射した後、突入した警官隊に射殺されました。しかし、その時には既に、小学４年生19人と女性教師２人は亡くなっていました。

バイデン大統領は記者会見で、銃の販売規制を法制化する意思を表明しましたが、銃規制は、現実的には非常に難しいと言われています。一体、なぜでしょうか？

★反政府ゲリラこそ、真の愛国者

町山　アメリカ合衆国が銃を規制できない理由の中で一番大きいのは、「銃を持つ権利」が憲法で認められていることです。合衆国憲法修正条項第2条に「規律ある民兵団は自由な国家の安全にとって必要であるから、国民が武器を保有し携帯する権利は侵してはならない」とあります。

この条項は、アメリカ合衆国独立戦争後の1791年に成立しました。独立戦争は、イギリス政府に対する、植民地市民の武装蜂起でしたから、アメリカ側は基本的に全員「民兵」、つまりゲリラだったわけです。そのため、一般市民が銃を持つ権利を認めないと、独立戦争そのものを否定することになってしまうわけです。狩猟用とか護身用としてではなく、民兵として戦争に参加するために必要で、はっきり言うと「政府を倒すための銃所持を認めている」んです。

面白いのが、当時戦ったゲリラの人たちを英語で「ペイトリオット（patriot）」と言うことです。

藤谷　「愛国者」ですか？

町山　反政府ゲリラなのに「愛国者」と呼んだんです。

アメリカ合衆国における「愛国」とは、政府を支持することではないからです。国民こそがアメリカであって、政府は仕事としてサービスを請け負っているだけだと考える。政府が我々国民に対して圧政を加えるなら、我々はそれを倒す権利がある、と。

藤谷　面白い。それは非常にアメリカ的ですね。

町山　そうですよね。日本人みたいに「国に尽くします」という発想ではありません。銃規制に反対するアメリカ人が必ず引き合いに出すのが、この合衆国憲法修正第2条なんです。でも、この条項で、銃を持っていいとしているのは「規律ある民兵」だけ。独立戦争時の市民は自らを「ミニットマン（minute man）」になるべく訓練していました。つまり「召集されたらミニット（1分）で出動できる」ほどに訓練された民兵です。

藤谷　今、銃を所持している人たちに規律はあるんですか？

町山　あれば銃乱射事件なんか起こしていませんね。

★人口よりも銃が多い

町山　アメリカでは銃は「買い放題」です。軍隊や警察ではなく、私的に所有されている銃は登録された数だけでなんと3億9300万挺もあります。人口が3億3000万人なので、人口より多い。

3億3000万人というのは赤ん坊から老人まで含めた数ですから、銃を所有しているアメリカ人は成人人口の約32％、8200万人と言われています。

藤谷　つまり、1人が何挺もの銃を所有しているわけですね。

町山　そうです。ラスベガス※地図⑨の銃撃犯は、ホテルの部屋に23挺もの銃を用意していました。ですから、民主党の議員は国民1人5挺以上持てない法案を求めているんですが……。

藤谷　コレクターは大反対するでしょうね。

町山　はい。銃を所有する権利を守りたい人たちは「人を殺すのは銃じゃない。人を殺すのは人なんだ」と主張してきました。たとえばトランプ前大統領は解決策として「精神的な疾患のある人物」を特定し、拘束することを提案しました。

でも、フロリダ※地図(10)の銃乱射事件の犯人も精神的な疾患はなかった。ＦＢＩの報告によると、２０００年からの13年間で発生した銃乱射事件のうち、犯人が過去に精神疾患と診断されたのは、約25％でした。

★18歳、酒はダメでも、銃は買い放題

町山　２０２２年5月、テキサス州ユヴァルディで起きた小学校での銃乱射事件を受けて、バイデン大統領は、テレビ演説で「アメリカの子どもは交通事故よりも銃で多く死んでいます。警官や軍人よりも子どもが銃で死んでいます」と訴えました。そして、連邦法による銃規制を実現させると宣言しました。銃の規制は各州まかせで、国全体としては規制がなかったからです。

バイデン大統領はまず「銃を持てる年齢」を制限する連邦法を提案しています。「18歳の少年が店でいきなり銃を買えるなんて、おかしいでしょう?」と。

藤谷　自動車だって免許証が必要なのに、銃には免許がいらないなんて、不思議ですね。

町山　テキサス州ユヴァルディの小学校での銃乱射事件の犯人ラモスは、犯行の1週間前

銃規制法を求める大規模なマーチ、「March For Our Lives」。フロリダ州の高校で発生した銃乱射事件をきっかけに大きなムーブメントとなった

に18歳になり、銃砲店でAR15ライフルを買っています。合法的に。

藤谷　テキサスでは18歳で銃（ライフル）が買えるんですか？　お酒は21歳からでしょ？

町山　お酒が買えない年齢でも銃は買えます。でも、10代は精神が不安定で銃乱射事件を起こす例が多いんです。2018年のフロリダ州の高校での銃乱射事件の犯人も19歳でした。やはり合法的に店で銃を買っています。

藤谷　他の州では？

町山　カリフォルニア※地図(11)では21歳からです。フロリダ州では高校での銃乱射事件の後、銃が買える年齢を21歳に引き上げました。でも、テキサス州のグレッグ・アボット知事は「テキサスで18歳から銃が買えるのは大昔から続く伝統なので、変えることはない」とコメントしました。

★むき出しの銃を背負って買い物へ

町山　テキサス州では、ここ20年ぐらい、銃乱射事件があるたびに銃の規制を緩めてきたんです。

藤谷　え？

町山　たとえば2019年に、テキサスのメキシコとの国境の町エル・パソのウォルマートで、白人至上主義の21歳の青年がメキシコ系の人たちを狙って銃を乱射、22人殺害しましたが、その後、テキサス州議会と州知事は、許可なしに誰でもオープン・キャリーできるよう法制化したんです。

オープン・キャリーとはライフルや拳銃をむき出しで持ち歩くことです。ライフルを背負って繁華街や公園やショッピングセンターに行ってもいいということです。

実はアメリカの南部や中西部のほとんどの州でオープン・キャリーは許されているんですが、テキサスでは、何の許可も必要なく、誰でもライフルをかついで公園などに行ってもよくなりました。

藤谷 怖いです。なぜ、銃乱射事件の後にそんなことを決めたのでしょうか。

町山 銃乱射事件があると、世間が銃規制の強化を求めるからです。

藤谷 つまり、規制を厳しくする方向に国全体が行こうとするから、自分たちは銃所持者の権利を守るということを示すために緩めるという、非常に政治的なやり方ですね。

町山 その通りです。テキサス州の州議会の上院も下院も共和党が多数支配し、アボット知事も共和党です。彼らは銃所持者から票を集めて当選していますから、規制強化の流れに抵抗しないと再選されないんです。そういう議員に対してユヴァルディ出身の俳優マシュー・マコノヒーは「再選しか考えていないのか」と怒っていましたが。

★アメリカの未来を占うＮＲＡの「通信簿」

町山 共和党が銃の所持を規制できないもう1つの理由はＮＲＡです。

ＮＲＡとは、National Rifle Association／全米ライフル協会のことで、会員数は5

00万人。銃の規制強化に反対するロビー団体として政治家への献金を行い、その額、年間4億4000万ドルと言われています。2016年の大統領選挙でもトランプ候補への直接の献金は2000万~3000万ドル、さらに対抗馬のヒラリー・クリントン候補を批判するために、1970万ドルもの資金を拠出しました。

藤谷　NRAから献金を受けている政治家のリストを見て、ゾッとしました。こんなにたくさんいるの？　と。中でもトランプ氏が断然トップで、すごい金額をもらっています。

町山　彼らは数の力も絶大です。先ほど述べたように、500万人もの会員がいます。しかもその500万人は投票率が高い。政治を揺るがす一大勢力と言えるでしょう。ちなみにNRAは、政治家の採点表を作っています。どの政治家がどのくらい銃所持に対して肯定的なのか、あるいは否定的なのかについて明記した、いわば「通信簿」ですね。

「通信簿」の成績が悪いと、NRAは「この人は銃に対して批判的だから投票してはいけません」と会員に呼びかけます。そのため、政治家はNRAや銃を所持することに対する批判はしないんです。

ネバダ州など、銃の所持者が多い選挙区の議員は、たとえ民主党でも決してNRAを批判しません。あのオバマ元大統領ですら、一度たりとも真正面から批判しなかった。彼らを敵に回せば、500万の票を失うことになるからです。

藤谷 NRAは、テキサスの小学校で子どもたちが殺されたすぐ後に、テキサスで大会を開きましたね。

町山 はい。予定されていた年次大会でしたが、トランプ前大統領が出席して、「学校での銃乱射事件を防ぐには、銃を規制するのではなくて、学校の先生に銃を持たせて武装させろ」と演説しました。

藤谷 子どもたちに学問や技術を教える職業の人たちがなぜ、武装しなきゃならないんですか。アメリカの小学校では乱射事件に備えて、生徒たちに机の下に隠れる訓練をさせているんですよ。小さい子どもたちにです。明らかにおかしいです。

★大量虐殺兵器がその辺で売っている

町山 バイデン大統領や民主党が求めている銃規制案に、アサルト・ライフルの購入制限があります。

アサルト・ライフルとは、AR15やAKなど「突撃銃」とも呼ばれる、戦争のために開発された銃です。速射性が高く、大量の強力な弾丸を瞬時に発射できる。テキサスの小学校での銃乱射事件もそうでしたが、大量射殺事件にはたいていAR型ライフルが使われています。バイデン大統領は「なんでアサルト・ライフルが普通に売られているのか？ ハンティングにアサルト・ライフルが必要なのか？ 鹿が大群で攻めてくるのか？」と言っています。

アサルト・ライフル
iStock.com/Olga Mendenhall

アサルト・ライフルはカリフォルニア州では厳しく規制されていて、グリップ（銃把）に三角の板が取りつけられ、うまく握れない仕組みになっていたり、弾倉に5発以上の弾を込められないようになっていたりします。テキサスを含め、その他の州では野放し状態ですが。

ちなみに、バイデン大統領は上院議員時代の1994年に攻撃用銃器禁止法を実現させていて、そのおかげでしばらく銃乱射事件が減ったことがあります。ただ、2004年にその規制は失効してしまいました。

藤谷 なぜですか？

町山 当時のブッシュ大統領が反対したからです。ちょうど大統領選挙の年で、銃所持派の人気を集めるためでしょう。

バイデン大統領は、一度撤廃されたこの弾倉の規制を復活させよう、と訴えています。

★犯罪歴もノーチェック

町山 さらに、民主党が連邦法にしようとしているのはバックグラウンド・チェックです。店銃を売る店に、顧客の過去の犯罪歴や精神疾患の治療歴の確認を義務づけます。店に行ってもいきなり銃は引き渡されなくて、チェックが終わるまで数日待たなければばなりません。

藤谷 これまで、やっていなかったんですか？　自動車だって過去に違反したら免許停止になったりしますよね。

町山 カリフォルニア州はやっていました。でも、テキサス州はノーチェックなので、小学校での銃乱射犯は店ですぐにライフルを入手できました。

加えてバイデン政権は、危険信号法と呼ばれる**レッド・フラッグ法（Red flag law）**も検討しています。これは、精神状態が不安定で自分や他の人を傷つけそうだと思われる人から、家族や職場の同僚、それに警察が裁判所に請求して、銃を強制的に没収できる法律です。このレッド・フラッグ法はフロリダなどいくつかの州で州法化され、確実に自殺者が減っています。

銃を保管するガンロッカーや、引き金を引けなくするトリガーロックの義務化も検討されています。

★銃犯罪は自由の代償？

町山　これらの規制案に対する国民の反応は、というと、CBSテレビが6月に行った調査では、62％がアサルト・ライフルの大容量弾倉規制に賛成、81％がバックグラウンド・チェック法案に賛成、72％がレッド・フラッグ法案に賛成、という結果です。

藤谷　過半数が銃規制に賛成している。

町山　共和党もいつまでも抵抗し続けられないだろうと思います。

近ごろNRAは、会計で不正が発覚して会員数が減って、政治献金の額も半減して、かつてよりは力が弱くなっていますから。銃乱射事件があったニューヨーク州バッファロー（※地図⑿）を選挙区にするクリス・ジェイコブス議員（共和党）も「銃規制が必要だ」と表明しました。

これに対して共和党はジェイコブス議員を支援しないと決定し、彼は今年の選挙を諦めました。

ジョージア州（※地図⒀）の連邦下院議員で銃規制反対派のマージョリー・テイラー・グリーン氏は、「共和党の議員が銃規制法案に賛成するのは、投票してくれた人を裏切る行為だ」と言っています。

藤谷 テキサスのテッド・クルーズ上院議員（共和党）も「乱射があったからといって、銃を持つ権利を制限していいわけじゃない」と明言していましたね。

町山 フロリダ州の下院議員グレッグ・ステューブ氏はリモートで議会に出席して、「俺の銃は15連発だ。これを規制するのか！」と言いながら、自分の拳銃を振り回してみせました。

CBSの世論調査では、共和党員の44％が「銃乱射は自由社会の代償として受け入れねばならない」と言っています。

藤谷 たくさんの子どもたちが亡くなっているのに。

町山 そうした中、民主党は何が何でも銃規制法を成立させたいので、共和党に妥協して法案を緩くすることにしました。

たとえば、弾倉の装弾数規制は諦めました。銃を買える年齢を21歳以上にするのも、レッド・フラッグ法も諦め、その代わりに、21歳未満に銃を売る際には、バックグラウンド・チェックを義務づける。レッド・フラッグ法を実施する州にはその経費を連邦が支援する。そんな妥協案で、やっと共和党の同意を得ることができたんです。

藤谷 骨抜きですね。

町山 でも、共和党が銃規制に歩み寄ったのは重要な第一歩です……と、思ったら、連邦最高裁がとんでもない判決を下しました。

ニューヨーク州の銃規制法を違憲としたんです。ニューヨークでは100年前から、外で銃を持ち歩くには許可証が必要で、持ち歩く理由を申請しなければなりませんでした。ところが最高裁は、それは修正第2条で守られた銃所持の権利を侵害すると判断したんです。家の内側も外も同じだと。

ニューヨーク市長は「この最高裁判決でニューヨークが無法の西部開拓時代になってしまう」と嘆きましたが、ニューヨークだけでなく全米でそうなります。

藤谷 怖いですね。この恐怖感によって、ますます銃が売れるのでしょうね。コロナ禍の間にも銃砲店の前に行列ができたし、ブラック・ライブズ・マターでも銃が売れた。

町山 何があっても銃が増えていくんですね。

7月4日、シカゴ※地図⑭郊外の独立記念日のパレードを22歳の青年がアサルト・ライフルで銃撃し、6人が亡くなりました。本当にきりがありません。

★★ アメリカの今を知るキーワード ★★

ペイトリオット

アメリカの独立を主張した人々。英本国の政策に同調するロイヤリスト（Loyalists／国王派）に対抗して、革命前の運動を展開した。

ミニットマン

アメリカ独立戦争でペイトリオットと共闘した民兵。召集されると約１分（1minute）で出発準備ができるよう訓練したことから。

NRA

全米ライフル協会。1871年設立。銃規制の法案を何度も廃案に追い込む。

バックグラウンド・チェック

銃購入時の身元調査で21歳未満には犯罪歴や精神衛生の記録調査を義務化すること。

レッド・フラッグ法

自他を傷つけるような危険な行動をみせる者の銃の没収を家族や同僚、法執行機関、精神科医などが裁判所に要請できる法律。

ブラック・ライブズ・マター

2012年２月に米・フロリダ州で起きた黒人に対する警察の残虐行為をきっかけに始まった人種差別抗議運動。2020年のジョージ・フロイド事件などを発端として、全米に広まった。

第3章

★ ★ ★ ★ ★ ★ ★ ★ ★ ★

政教分離の守護神は悪魔

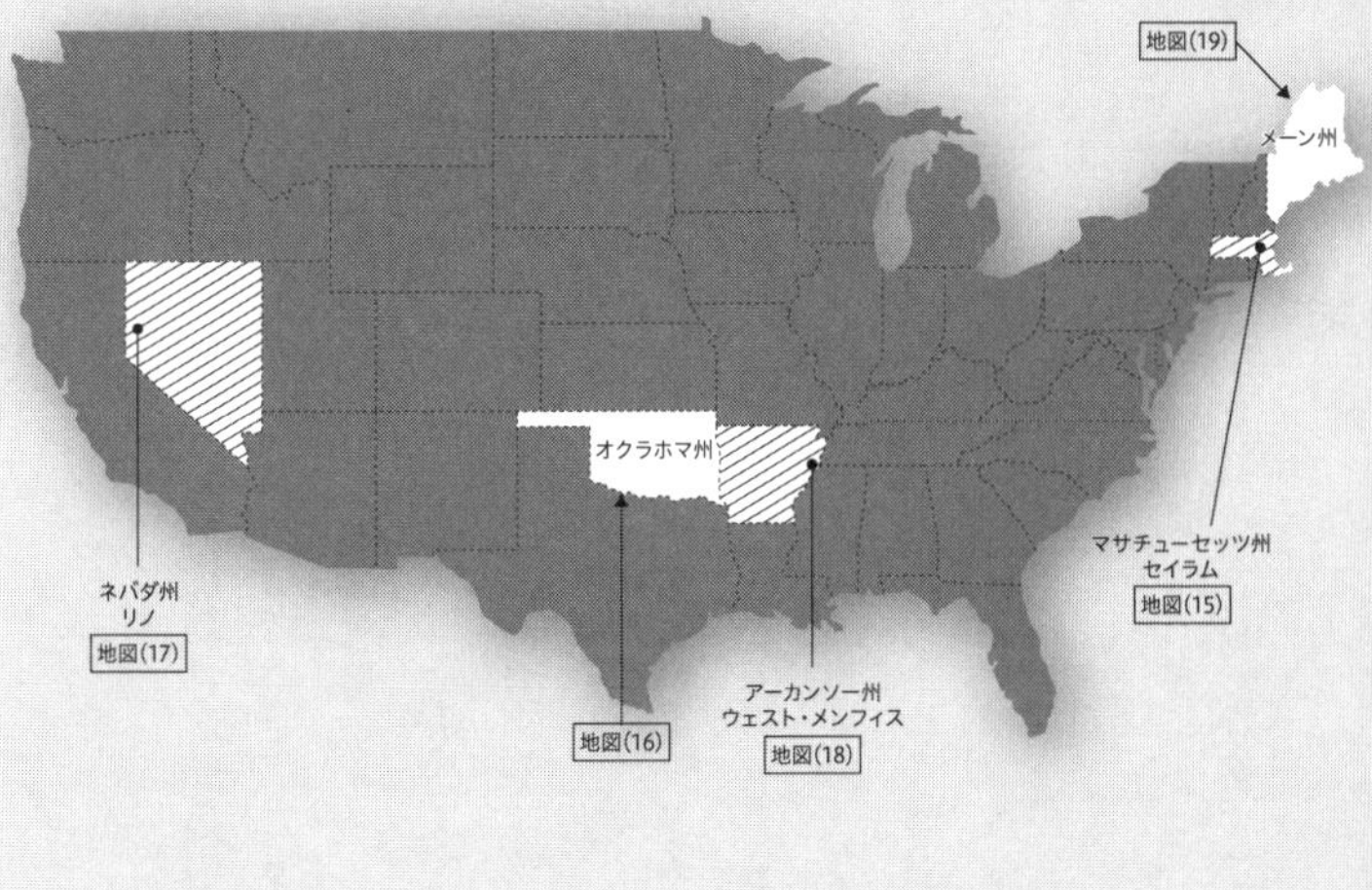

アメリカには、悪魔を崇拝する教団がいくつかあります。「悪魔教」という名前から、生け贄を捧げたりする、世にも恐ろしい犯罪集団のように思う方が大半でしょう。しかし実際は、宗教団体として法的に認められている団体なんです。

悪魔教は、1960年代のカウンター・カルチャー・ムーブメントの中で始まりました。大人たちに反抗した若者たちは、親に教えられたキリスト教やユダヤ教でなく、自分自身で信じられるものを探そうとしました。禅やヒンズー教、先住民の教え、オカルトや魔法……。そして、1966年にアントン・ラヴェイという人が、「チャーチ・オブ・サタン（The Church of Satan）」を創設しました。

チャーチ・オブ・サタンは、人間の本能や欲望を肯定します。それを抑圧するキリスト教とは異なるヒューマニズム的思想を持ち、ミック・ジャガーやレッド・ツェッペリンなどのロックミュージシャンからも関心を集め、ラヴェイは次第にカリスマになっていきました。近代悪魔崇拝の老舗ともいえます。

それに比べると、本章を構成するうえで取材した悪魔教寺院「サタニック・テンプル（The Satanic Temple）」の設立は2013年、と、つい最近です。サタニック・テンプルが注目されたのは、2018年8月、アーカーンソー州の州議会議事堂前に高さ約8フィート（約2・4メートル）の巨大な悪魔バフォメット像を設置して、その前で集会を開いたからです。

彼らは一体何のために、このようなことをしているのか？　それを聞くためにサタニック・テンプルの本部を訪ね、共同設立者ルシアン・グリーヴス氏に話をうかがってきました。やってきたのは、マサチューセッツ※地図⑮州セイラムという町。住宅地の中に建つ黒塗りの建物がサタニック・テンプルです。若くてハンサムなルシアン・グリーヴス氏が出迎えてくれました。

★悪魔教の教義は思いやり

グリーヴス　ようこそいらっしゃいました。この建物は葬儀場だったんですよ。窓の装飾がコウモリの翼なのが悪魔教寺院には合っているなと思っています。

町山　ここは宗教法人なんですか？

グリーヴス　2019年4月に国税庁により正式に宗教法人として認可されました。他の宗教団体と同じように公の場所で活動し、政府の助成金を申請することもできます。

町山　認可されるには教典が必要じゃないですか？

グリーヴス　はい。私たちは独自の倫理観をもとに構築した教義、教典を持っています。

一体、どのような教義でしょうか？　ここで、いくつか挙げてみましょう。

・「理性に応じて、すべての生き物に対して思いやりと共感を持って接すべし」
・「人の体は不可侵にして、自分の意思のみに従うべし」
・「たとえ気分を害することであれども、他者の自由を尊重すべし。故意に、または不当に他人の自由を侵害することは自身を放棄することに等しい」
・「信念はこの世で最も優れた科学的理解に基づくべきである。自分が信じるもののために科学的な事実をねじ曲げてはならない」
・「人間は堕落しやすいものである。間違いを犯した場合はそれを正し、引き起こされた害を解決するために最善を尽くすべし」
・「すべての教義は行動と思考において高潔さを鼓舞するように設計された指針なり。思いやり、知恵、正義の精神は書かれた言葉や話された言葉よりも常に優先されるべき」

いかがでしょう？　悪魔教とは名乗りながらも、実に良識ある教義ですよね。

★州議会議事堂の前にご本尊が鎮座

サタニック・テンプルの中に入ると、話題になったご本尊、**バフォメット**の像がありました。タロットなどに使われる悪魔の像で、顔はヤギ。背中には翼が生えています。

グリーヴス　バフォメットは対立する者を和解に導く象徴的な存在です。体は半獣半人。腰には和解を意味するシンボルがついています。指は上下を指し、頭の星のマークも前後で違う方向を向いています。対立する意見の共存を促しているのです。

サタニック・テンプルのご本尊、バフォメット

町山　だから、両側に黒人の少年と白人の少女が立っているんですね。

グリーヴス　そうです。可能な限り対立の共存を象徴させました。バフォメットのひざの上に座って写真を撮ることができます。

町山　クリスマスのデパートで子どもをひざに乗せるサンタクロースみたいに？

グリーヴス　ええ。もともと公共の場に置くつもりでしたから。

バフォメットの膝の上に座って写真を撮ることもできる

　2015年、サタニック・テンプルはバフォメット像をオクラホマ州※地図(16)議会の議事堂前に設置しようとしました。そこに旧約聖書のモーセの十戒を刻んだ石碑が建てられたことへの抗議が目的でした。

　皆さんもご存じの通り、十戒はユダヤ教やキリスト教の戒律の1つであり、それを州議会の前に建てることは、「**政教分離**」の原則に反しています。

　政教分離とは、政治は宗教と結びついてはならないとする憲法上の原則です。アメリカ合衆国では、1776年の独立宣言で「すべての人々は良心の命令に従って自由に宗教を信仰する平等の権利を持つ」と定められています。また、1791年の権利章典（合衆国憲法修正第1条）でも「合衆国議会は国教を創設したり、宗教の自由の行使を禁止したりする法律を制定しない」と明記されました。

アメリカで権利章典のいちばん初めに政教分離が定められたのは、そもそもアメリカが宗教の自由を求める人々によって建国されたからです。

昔、ヨーロッパ各国にはそれぞれ「国教」というものがありました。イギリスはプロテスタントのイギリス国教会、フランスなどはカトリック教会と国家権力が結びつき、違う宗派の人々は迫害されました。そこでヨーロッパ各国から、少数派の宗徒たちが新大陸・アメリカに移民しました。たとえばマサチューセッツは、イギリスから渡ってきたピューリタン（清教徒）たちが入植したことで有名です。

そんな人々によって建国されたのがアメリカ合衆国なので、何よりも先に、信教の自由を保障しなければならなかったんです。

日本でも政教分離は日本国憲法第20条「信教の自由は、何人に対してもこれを保障する。いかなる宗教団体も、国から特権を受け、または政治上の権力を行使してはならない」、

第20条第3項「国及びその機関は、宗教教育その他いかなる宗教的活動もしてはならない」と規定しています。

それなのになぜ、オクラホマ州議会は十戒の石碑を設置したのか？

アメリカの南部や中西部の田舎では、福音派と言われるキリスト教原理主義者が人口の40%近くを占めています（アメリカ全体では25～30%くらい）。州議員も彼らの票を集めているため、政治と宗教は分離することができていません。

★政教分離はアメリカ建国の精神

グリーヴス　私たちはまず、オクラホマ州に、「十戒の石碑は政教分離に反しているのでは？」と問い合わせました。すると彼らは、「十戒の石碑は個人から寄贈されたものなので、公の土地で設置しても政教分離の原則に反していない」というのです。そこで我々も個人の寄贈としてバフォメット像を置いてもらおうと、正式な申請書を州へ提出したんです。

町山　うわ、それは相手も困ったでしょうね（笑）。

グリーヴス　結局、オクラホマ州政府は十戒の石碑を撤去しました。

町山　あなた方の勝利ですね。

グリーヴス　でも、2018年に今度はアーカンソー州が州議会議事堂の敷地内に十戒のモニュメントを設置したんです。州議会の決議でした。これは宗教的なものではなく、歴史的記念碑だと主張して。

町山　十戒って紀元前のユダヤの神話ですよね。アーカンソーの歴史と関係ないですよね。

グリーヴス　そこでサタニック・テンプルは十戒に抗議して、州議会前での集会の許可を正式に取り、そこにバフォメット像を運んで、マスコミも呼びました。たとえ悪魔教の集会といえども、公共の場所での集会を州政府は拒否することができません。それは政教分離の原則に反するからです。キリスト教だけ優遇することはできないのです。公共機関はすべての宗教に対して中立でなければいけません。我々が州議会前で集会することがニュースになれば、信教の自由について皆さんが考える機会になります。現在、キリスト教福音派は信教の自由や権利を自分たちだけのものだと思っています。しかし本来、信教の自由はすべての人にあるということに気づいてほしいのです。

アメリカ建国当時の政教分離は、キリスト教の宗派の自由を保障するものでしたが、その後、ユダヤ教やイスラム教などキリスト教以外の宗教者も移民してきました。それに、無神論者も増えていきました。信教の自由は、それらすべてを守らなければなりません。

たとえば、アメリカ合衆国の公立学校には大統領の写真が飾られていて、それに対して子どもたちが「私はアメリカ合衆国に忠誠を尽くし、神のもとの1つの国の下で忠誠を誓います」という宣誓を長い間やらされていました。

この「神」というのは一体何の神なのでしょう？　それが仮にキリスト教の神様だとすると、この宣誓は憲法違反です。そこで、現在ほとんどの学校で宣誓は廃止されているんですが、州によってはまだやり続けている学校も存在します。

それに対してサタニック・テンプルは異議を唱えます。「悪魔教の自由も尊重してくれ」と。

つまりサタニック・テンプルとは、キリスト教徒たちによって宗教団体と国家の線引きが曖昧になりつつある状況に対して、警鐘を鳴らすためのアンチテーゼだったんです。

★80年代ヘヴィメタルと「サタニック・パニック」

ルシアン氏がサタニック・テンプルを始めたきっかけは、「サタニック・パニック」です。これは、自分の身の回りに悪魔崇拝者がいると知った人々がパニックになることです。中世の話みたいですが、これが1980年代のアメリカで起こったんです。

やり玉に挙げられたのは「ヘヴィメタル」です。

1985年、ロック・ボーカリストのオジー・オズボーンとレコード会社が、自殺した19歳の少年の両親に訴えられました。オジーのアルバム『ブリザード・オブ・オズ〜血塗られた英雄伝説（Blizzard of Ozz）』（1980年に収録された「自殺志願（Suicide Solution）」に扇動されて息子が自殺したというんです。

実際は、その歌は急性アルコール中毒で死亡したAC／DCのボーカル、ボン・スコットを追悼するもので、「酒を飲むのは緩やかな自殺だ」という歌詞です。自身も重度のアルコール中毒だったオジーの経験を踏まえた歌で、自殺を促しているわけではありません。当然、裁判所は原告の訴えを却下しています。

さらに1990年、今度はジューダス・プリーストが訴えられました。1985年にネバダ州※地図(17)リノに住んでいた2人の少年がショットガンで自殺を図り、1人が即死したんですが、少年の遺族が、ジューダス・プリーストのアルバム『ステンド・クラス（Stained Class）』収録の「ベター・バイ・ユー、ベター・ザン・ミー（Better By You, Better Than Me）」が原因だというんです。それも、レコードを逆回転させると「Do it（やれ）」「Let's be dead（死にましょう）」という言葉が聞こえるからと。

でも、実際に逆回転でレコードをかけても、そのような言葉は聞き取れず、訴えは却下されました。

これら2つの事件はどちらも、まともな裁判にはならなかったんですが、これをきっかけに、アメリカの福音派はヘヴィメタルを悪魔と結びつけて批判するようになりました。

そして起こったのが1993年の「ウェスト・メンフィス※地図(18)3事件」です。

1993年、アーカンソー州ウェスト・メンフィスで8歳の男の子3人の遺体が発見されました。悪魔崇拝の儀式の生け贄にされたのだ、ということで、当時18歳のダミアン・エコールズら3人の少年が逮捕されました。理由は彼らがメタリカなどメタル・バンドのファンで、黒いTシャツを着用し、オカルト関係の書物を読んでいたからです。原告の訴える「証拠」はたったこれだけでしたが、ダミアンには死刑、他の2人は終身刑が言い渡されました。
これはあまりにひどい冤罪《えんざい》だと、メタリカらミュージシャンや、ジョニー・デップなどの映画スターたちが再審を要求する運動を続け、18年後の2011年にやっと3人は釈放されました。
こうしたサタニック・パニックを少年時代に見た経験から、ルシアン・グリーヴス氏はサタニック・テンプルを立ち上げることになりました。

★悪魔教寺院があるのは、魔女狩りの街

ルシアン・グリーヴス氏に、サタニック・テンプル本部の書斎を案内してもらいました。

グリーヴス　多くの悲惨な事件を起こしたサタニック・パニックについての資料を集めています。

町山　小さい子ども向けの絵本もありますね。

グリーヴス　子どもを悪魔の生け贄にする儀式を描いた絵本です。こういう本を子どもに

読ませること自体が虐待ですよ。

これは1980年に出された『Michelle Remembers（ミシェルは覚えている）』という本です。カナダの精神科医ローレンス・パズダーが女性患者ミシェル・スミスに催眠療法をかけて、ミシェルが悪魔崇拝者に虐待を受けていたという記憶を蘇らせます。しかも、彼女は悪魔自身にも犯されたと証言します。1980年代のサタニック・パニックはここから始まったのです。

町山　誘導尋問で記憶を捏造したんじゃないかと思いますけどね。しかし、とても20世紀のアメリカで起きたこととは思えない。まるでセイラムの魔女狩りのようですね。

グリーヴス　おっしゃる通り。17世紀末の魔女狩りから何も変わっていません。みんなそのことに気づいていないのです。

サタニック・テンプルが本拠地をセイラムに置いたことは非常に重要です。セイラムは17世紀後半に「魔女狩り」が起こった悪名高い土地です。

サタニック・テンプル内にある書斎には、様々な資料が展示されている

当時、好奇心から降霊会に参加した少女たちが集団パニックになったことから「悪魔教を崇拝している奴らが呪いをかけている」と噂が広まり、19人が無実の罪で処刑されました。そうした過去を深く反省しているためセイラムは宗教の自由が完全に守られている場所となっており、そこに悪魔教の教会を建てている。その辺もきちんと意味合いがあるんです。

★悪魔は天使だ!

こんな話を聞いていると、ルシアン・グリーヴス氏は、政治的な運動として、悪魔教寺院をやっている、一種のカルチャー・ジャム(政治的に議論を呼ぶためのイタズラ)かと思う人もいるでしょうが、ルシアン氏は「いや、本気でサタンを尊敬しているよ」と言います。「ミルトンの『失楽園』を読んでファンになった」と。

『失楽園』は、イギリスの17世紀の詩人、ジョン・ミルトンが書いた叙事詩で、悪魔サタンが主人公、いや、ヒーローです。ルシアンという名前は、悪魔サタンの旧名ルシファーから取っているそうです。

『失楽園』によると、サタンはもともと、ルシファーという名の天使だったんです。けれども彼はあまりに自立心が強かったため、神に反抗し、天界から追放されます。堕天使ですね。ルシファーは神に対する復讐を誓って、悪魔の軍団を引き連れた魔王・サタンになり、こう言います。

「天国で仕えるより、地獄を統べたい」

そんな反逆者としての誇りに、ルシアン氏は共感するそうです。

★建国の精神に反旗を翻した最高裁

ところが2022年6月21日、憲法を守るべき連邦最高裁が合衆国憲法修正第1条の政教分離の原則を破壊しました。メーン州※地図⑲では私立の小中高に通う州民に対しても学費を援助していますが、宗教教育を行っている学校に通う生徒の学費は拒否していました。修正第1条の「国教の禁止」に従って、税金が宗教学校に流れないようにしたんです。

ところが、それをキリスト教学校に子どもを通わせる親が、同じ修正第1条の「信教上の自由な行為を禁止してはならない」に反しているとメーン州を訴えたんです。

おかしな話です。国教を禁止したのは、個人の信教の自由を守るためだからです。しかし、最高裁は、メーン州を違憲としました。その判決を下した6人は全員共和党の大統領が指名した判事で、熱心なカトリック信者です。

「最高裁は、憲法の原則を覆しました。税金による宗教の助成を拒否した州を違憲としたのです」

この判決に反対した3人の判事の1人、ソニア・ソトマイヨール判事は、反対意見を表明しました。

「最高裁の多数派が、憲法の起草者たちが勝ち取った政教分離の壁を取り払おうとしています」

実は、問題となったキリスト教学校は宗教的信念に基づいてLGBTQの生徒の入学を拒否しており、公共性に疑問があります。

「連邦裁判所は人々を差別から保護することを目的としていますが、今回の判決は、差別に税金を投入するよう求めています」

ソトマイヨール判事自身もカトリック信者ですが、宗教よりも法に従っています。しかし、今の最高裁ではそれは少数派なんです。

★★ アメリカの今を知るキーワード ★★

悪魔教
1960年代半ばにつくられた宗教団体。既存のモラルからの解放をめざし、快楽と放逸を求める。

サタニック・テンプル
2019年に、正式に宗教法人として認可された団体。人類の善意と博愛を信じ、専制支配を拒絶し、常識と正義を標榜する。

バフォメット
近世、山羊の頭に人間の体を持つと言われた、西方キリスト教世界における有名な悪魔。

政教分離
政治は宗教と結びついてはならないとする憲法上の原則。

「サタニック・パニック」
1980年代、自分の身の回りに悪魔崇拝者がいると知った人々がパニックに陥ったこと。

第4章

★★★★★★★★★★

アメリカで「不正選挙」がありえないわけ

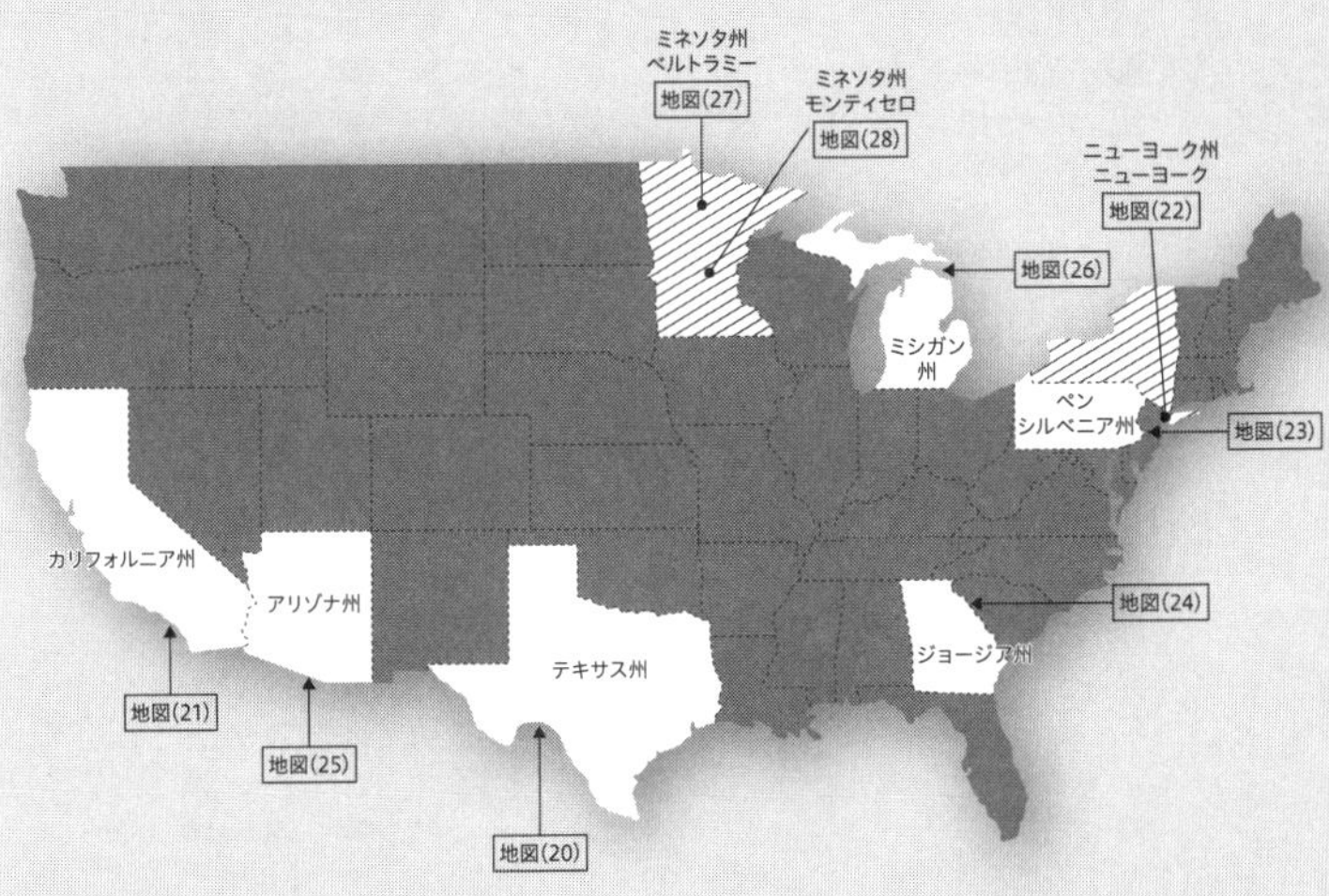

2020年の大統領選挙で、民主党のジョー・バイデン元副大統領が、共和党のドナルド・トランプ前大統領に勝利しました。しかし、トランプ氏は敗北を認めず、「この選挙は不正だ」と主張しました。それを信じた支持者が2021年1月、連邦議会に乱入するという事態まで引き起こしたことは記憶に新しいです。

2022年1月の世論調査（アクシオスとモメンティヴ）によると、バイデン氏が勝利したと考えるアメリカ国民は約55％。ところが約26％はバイデン氏を正式な勝者として受け入れないと答え、約18％は確証が持てないと答えています。

これは、トランプ氏が支持者に「主流メディアはフェイクニュースだから信じるな」と言い続けたために、事実に対する共通理解（コモンセンス）が失われ、信じる事実が違う「分断」が深まっているからです。

日本のニュースでは、このあたりはあまり詳しく報じられないので、驚く方も多いと思いますが、実は、アメリカの大統領選挙はもともと非常に不正が行われにくい仕組みになっています。本章ではトランプ氏の不正の訴えがいかにナンセンスであったかを検証していきます。

★不正投票は不可能!?

町山 トランプ氏は、投票前から「私が選挙で負けたら、不正のせいだ」と言っていました。でも、アメリカで実際に投票したことのある人なら、不正なんて起こりえないことを知っているはずなんです。
この国では、日本の選挙と違い、「成人なら誰でも投票できる」わけではないんです。投票には、事前に居住地の選挙管理委員会に申請して「有権者登録」が必要です。身分証明書や居住証明、それにサインを登録します。

藤谷 はい。登録すると選挙前に投票用紙が郵送されてきます。

町山 同封されているのは投票用紙を入れる内封筒、返信用の封筒、選挙の内容について詳しく書かれたパンフレット、それに加えて2020年は「I Voted」ステッカーがついてきました。
通常は投票場に行って投票するとこのステッカーをくれます。このステッカーを服につけてバーに行くと、お酒を割引してくれる店も多いんです。

藤谷 投票を喚起し合う文化があるわけですね。

町山　郵便投票では、投票用紙を同封の内封筒に入れて投函します。さて、ここからがポイントです。この封筒は開票所で集計人が開けるまで、誰も開封できません。開封された形跡があれば無効票になりますから。そして集計人は、内封筒と投票用紙と、コンピュータに登録されている有権者リストを照合します。封筒のサインも、登録時のサインと照らし合わせます。ここで、筆跡が違っていたら集計しない。つまり、途中で投票用紙を入れ替えたりすることは不可能ということです。封筒と有権者リストを照合する際に、二重投票もチェックできます。共和党側も民主党側も開票所には監視人を置いて、開票を見張っています。ということで、このシステムで不正をするのはほとんど不可能ということがおわかりいただけると思います。実際、立件された例はゼロに近いんです。

★共和党が先行するのは「赤い蜃気楼」のおかげ

藤谷　そんな中でトランプ氏は、何を根拠に、この選挙が不正だと言ったんですか？

町山　まず、開票が始まったばかりの頃はトランプ氏が優勢だったのが、翌日になってバイデン氏の得票数が増えて逆転したから、トランプ氏は「私のリードが魔法のように消えてしまった」、だからインチキだ、と騒ぎました。でも、それは当たり前のことで、投票前から、そう言ってトランプ氏が騒ぐだろうと予想されていました。

藤谷　なぜですか？

町山　最初優勢だった共和党が、民主党にだんだん巻き返されていく、という展開は、アメリカの選挙ではいつも起こる現象だからです。民主党を支持する人は大卒のインテリや学生、それにアフリカ系やヒスパニックが多いんですが、彼らは主に大都市に住んでいます。

藤谷　仕事や大学があるからですね。

町山　はい。共和党支持者は、白人の農業従事者やキリスト教福音派に多いです。彼らは郊外や農村部に多く住んでいます。つまり人口が少ない地域ですね。これはどの州でも変わりません。テキサス※地図(20)でもカリフォルニア※地図(21)でも都市部は民主党が強く、田舎では共和党が強いんです。そして、田舎での集計は、投票数自体が少ないから早く終わる。

だから、開票してすぐは共和党の票が伸びます。でも、都市部の集計が進むと、民主党の票が追い越していきます。選挙では毎回、それが起こる。これをレッド・ミラージュ、「赤い蜃気楼」と呼びます。共和党のシンボルカラーが赤だからです。

藤谷　トランプ氏は、レッド・ミラージュを知らなかったということでしょうか？

町山　知らなかったのか、知っていても知らないふりをしたのか。どちらでしょう。

★驚異の投票率140％のカラクリ

藤谷　トランプ氏の顧問弁護士で元ニューヨーク※地図(22)市長のルドルフ・ジュリアーニ氏は、接戦で負けた州を、不正があったとして訴えましたね。

町山　ペンシルベニア※地図(23)、ジョージア※地図(24)、アリゾナ※地図(25)、ミシガン※地図(26)の4州ですね。でも、何の証拠もないので、片っ端から却下されました。たとえばジュリアーニ氏はミシガン州を訴えた訴状には「ベルトラミー市やモンティセロ市では投票率が140％を超えている！　有権者登録の数より実際の票数のほうが多いなんてありえない！　不正だ！」などと書いてあります。

藤谷　投票率140％？　本当ですか？

町山　そもそも、それ以前に、ミシガン州にはベルトラミー※地図(27)とかモンティセロ※地図(28)という市は存在しないんですよ。

藤谷　え？

町山　いずれもミネソタ州の街です。だからこの段階で意味のない訴えなんです。そして実は、ミネソタ州では投票日の当日に選挙登録ができますから、事前の登録人数より投票数が多くなることはあるんです。それに、ベルトラミーは全体の人口が85人しかいない。有権者登録数が半分としても43人で、１４０％といっても60人。17人増えただけです。ジュリアーニ氏は、ニューヨーク市長としては非常に優秀な人だったのに。弁護士としてちょっとどうか、と思ってしまいますね。

★集計マシン「ドミニオン」陰謀説

町山　また、トランプ氏の弁護士は「ドミニオン」という投票集計機に不正があるとも訴えました。たとえばペンシルベニア州ではトランプ氏が獲得した94万1000票が消されて、そのうち43万5000票がバイデン氏の票に書き換えられた、と主張しているんです。

藤谷 詳しく調べてみると、実はアメリカの選挙では、全米の各郡がどの集計機でいくつの票を数えたのか全部公にしているんですね。ペンシルベニア州でドミニオンを使っていた郡は14郡。そこで、ドミニオンが集計した票の総数は約130万票。そのうち約67万6000票をトランプ氏が獲得しています。52%くらいがトランプ票でした。

町山 トランプ氏が勝っている、ということでしょうか?

藤谷 はい。ドミニオンが集計した分ではトランプ氏が勝っているんです。

町山 なのにトランプ陣営は、ドミニオンのせいで負けたと言っているんですか?

藤谷 はい。デタラメなんですよ。だからドミニオン社は、トランプ氏の顧問弁護士ジュリアーニ氏らを名誉毀損で提訴しました。最低13億ドル(約1915億円)の賠償を求めています。ジュリアーニ氏のスタッフだったシドニー・パウエル弁護士も「ドミニオンが票を書き換えた」と主張して訴えられましたが「名誉毀損にはならない」

と反論しています。

藤谷 なぜでしょう？

町山 「まともな人ならそんなバカげた話を信じるはずがないからです」だって。

藤谷 ……。集められた投票データがハッキングされた、なんて、主張している人はいませんでしたか？

町山 いましたが、前回の選挙でロシアが介入した件があったので、今回の選挙では、国土安全保障省が万全の体制で臨み、すべての集計機をサイバーセキュリティのプロを使ってチェックしていたんです。担当高官のクリス・クレブス氏が「我々が徹底して調査した結果、この投票に関して外部からのハッキングその他の不正はありません」と発表したところ、トランプ氏は「選挙に不正はない」と言ったからという理由で、クレブス氏をクビにしました。

★そして誰もいなくなった「隠れトランプ派」

町山 トランプ氏が、本当は自分が勝ったと主張している接戦州はジョージア、アリゾナ、ペンシルベニア、ミシガンの4州なんですが、そこで、もしトランプ氏が勝っていたら、それこそ不正があった可能性が高くなるんですよ。

藤谷 といいますと？

町山 たとえば、ペンシルベニア州での投票日当日の出口調査（ワシントン・ポスト紙）では、バイデン氏51％に対してトランプ氏43％です。6％は未回答や、2人以外の候補者に入れた人ですが、仮にその6％が全員トランプ氏に投票したとしても49％にしかならないから、勝てないんです。

藤谷 これは投票日当日の調査ですよね？

町山 そうです。実際今回は半数以上が郵便による事前投票で、しかもトランプ氏が郵便投票を信じるなと言い続けたので、郵便投票は圧倒的にバイデン票が多いんです。

藤谷 2016年の選挙では「隠れトランプ派」がいたと言われますが。あれは、アンケートに答えた人がトランプ支持なのに嘘をついたのですか？

町山　嘘をつく理由はないですよね。「隠れトランプ派」がいた16年の選挙では、事前の世論調査で「どちらに入れるか決めてない」と答えた人たちが投票日にトランプ氏に入れたので、事前の世論調査がひっくり返ったんですよ。でも、今回は郵便による事前投票が大半だったから、世論調査は正確でした。

藤谷　投票を終えた後に回答した人が多かったからですね。

町山　ペンシルベニア州以外の接戦州でも、投票日までの世論調査や、当日の出口調査でバイデン氏が勝ってるので、もし、実際の投票でトランプ票のほうが多かったらそれこそ、「その票、一体どこから湧いてきたの？」ということになってしまいますね。

★ジョージア州の選挙結果をひっくり返せ！

２０２０年の選挙でアメリカを驚かせたのは、南部ジョージア州でのバイデン氏の勝利です。バイデン氏の得票数は２４７万４５０７票、トランプ氏は２４６万１８３７票。１万２６７０票差でバイデン氏が勝利しました。ジョージアで民主党の大統領候補が勝利したのは、ビル・クリントン氏が勝った１９９２年以来のことです。

町山　しかし、ジョージア州でバイデン氏が勝つとは誰も予想してませんでした。これは、2018年の州知事選で惜敗した民主党の黒人女性候補のステイシー・エイブラムス氏が、黒人の投票率を高める草の根運動を展開した成果です。
ただ、バイデン氏が勝ったのは1万2000票という僅差でした。ですからトランプ陣営は、その得票差をなんとかしようと必死でした。ジュリアーニ弁護士は、アトランタの集計所の監視ビデオに、捏造されたバイデン票を入れたケースが映っていると言い出しました。

藤谷　つまり、偽の投票用紙が持ち込まれたと。

町山　そうです。そのビデオで、投票用紙入りケースを運んできた人物、選挙管理職員のシェイン・モス氏が特定されて、トランプ支持者から殺害予告を受けるまでの事態に発展しました。
ですが、そのケースは本物の投票用紙を運ぶためのものでした。集計所に運び込まれるのは当然のこと。でも、トランプ陣営が「あれは捏造した票だ」と言ったので、それを鵜呑みにしたトランプ支持者が大勢いたわけです。

さらにジュリアーニ弁護士は、「ジョージアでは選挙権のない未成年が6万人以上、選挙権が取り上げられたはずの重罪犯が2500人、既に死亡した人が800人以上も投票した」と訴えました。

藤谷　そんなの不可能ですね。そもそも登録されていないし、投票用紙も届かないし。

町山　そうです。重罪犯は刑期を終えて手続きすると投票できるようになるそうですが。このトランプ陣営の無茶な訴えに応えて、ジョージア州知事ブライアン・ケンプは、すべての票を手作業で数え直しました。手間もお金もかかるのに。ケンプ知事は共和党なので、トランプ氏に逆らうと裏切り者扱いされて、2年後の選挙で共和党支持者の票を失うと思ったんでしょう。

藤谷　数え直しの結果は？　不正票はありました？

町山　ありました！　元重罪犯の投票は74人、死亡者の名前による投票は2票、未成年の不正投票はゼロでした。

藤谷　……。1万2000票にははるかにおよばないですね。

町山　それどころか若干、バイデン氏の票が増えました（笑）。この結果に怒ったトランプ氏はもう一度数え直しを要求し、ジョージアはまた従いました。でも、結果はやはりバイデン氏の勝ち。

藤谷 なんと、合計3回も集計してるんですね。

★せめて2万票でいいんだ……。

町山 そして、とうとうトランプ氏は2021年1月2日、ジョージア州の選挙の責任者であるラフェンスパーガー州務長官に直接電話をかけて、得票差の分のトランプ票を「見つける」よう命じました。なんとかでっち上げろ、ということでしょうね。この州務長官も共和党ですから、トランプ氏は共和党の人はみんな自分の言いなりだと思ってるみたいですね。でも、ラフェンスパーガー州務長官はそのトランプ氏からの電話を公表してしまいました。

電話のやりとりで、トランプ氏はむちゃくちゃなことを言っています。「私はすべての州で勝った！」「ジョージアで私が負けるはずがない！」「奴らは票を書き換えたんだ」「本当は、ジョージアで40万票差をつけて勝ったんだ。それが事実だ。でも、40万票とはいわないから、せめて2万票でいいんだ」「それで結果をひっくり返してくれれば、みんな君を尊敬するぞ」

藤谷　こんなこと言われて、州務長官はどうしたんですか？

町山　淡々と「大統領閣下、私たちはしっかり選挙を管理しておりますが、いかなる不正もなかったと断言します」と反論し続けて、トランプ氏の嘆願というか圧力に最後まで屈しませんでした。

結果的に、トランプ氏の言う「不正選挙」には何も根拠がなく、何度調査しても何も見つかりませんでした。それなのに、今もアメリカ人の４人に１人が不正選挙だと信じ続けている、というのは本当に絶望的な状況ですね。

★★ アメリカの今を知るキーワード ★★

ドミニオン

ドミニオン社製の投票集計機。

隠れトランプ派

表向きは支持を明言しないものの、実はトランプ氏を応援している人たち。

第5章

★ ★ ★ ★ ★ ★ ★ ★ ★ ★

南部の投票所が次々と消滅!?

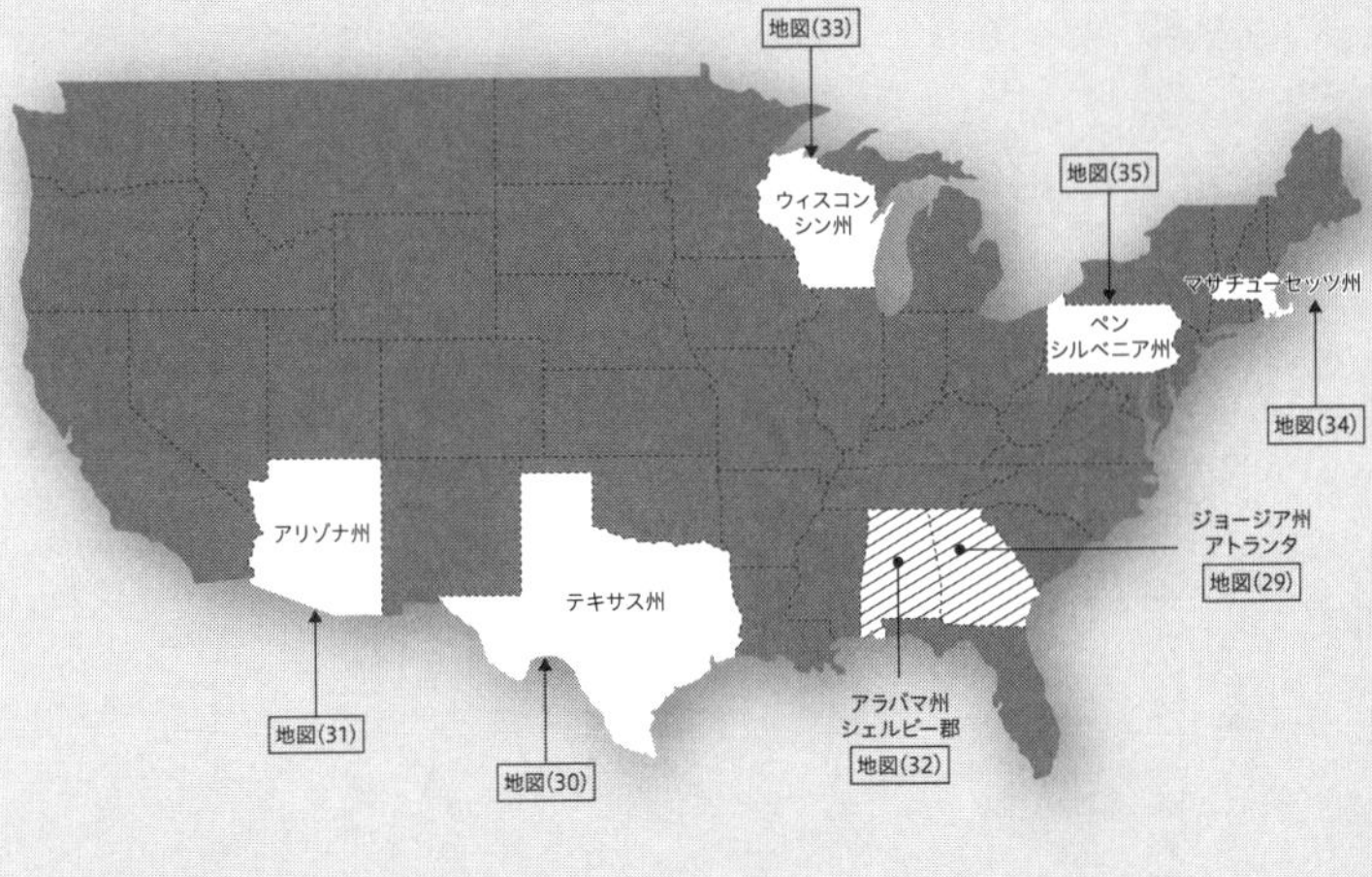

最近、アメリカの南部で、黒人居住地区の投票所がなんと、1000ヶ所以上も閉鎖されているという事実をご存じでしょうか。

ジョージア州は、長きにわたって共和党が選挙で勝ち続けてきた地です。「きっと今回も共和党が勝つに違いない」と考えた黒人の投票者は、最初から共和党の勝利を見越して投票に行かない、というケースが多かったんです。

そんな中、転機が訪れます。2018年の州知事選挙の共和党候補は、白人男性のブライアン・ケンプ州務長官（当時）、対する民主党候補はステイシー・エイブラムスさんという黒人女性。ジョージアでは当時、州都・アトランタ※地図㉙を中心に黒人やヒスパニックの人口が増加していたので、エイブラムスさんに勝算がありました。

この動きを脅威に感じたケンプ候補は、州務長官の権限を使って、前回、2016年の選挙で投票に行かなかった黒人に対する罰として140万人の有権者登録を勝手に削除。さらに州務長官の権限で、黒人が多く住む地区の投票所を閉鎖していきました。その数なんと214！　その結果、地域によっては7つの郡に

1つの投票所しかないという有様になってしまったんです。

黒人地区の投票所がなくなる！

町山 投票所を減らしたのはジョージア州だけじゃありません。テキサス州※地図(30)では、各郡の投票所の数を1つに絞りました。それまでは各郡に12もあったのに、です。たとえばハリス郡は、NASA（アメリカ航空宇宙局）がある大都市ヒューストンを擁し、人口は470万人もいるのに、投票箱は1個しかありませんでした。

藤谷 誰が減らしたんですか？

町山 州知事のグレッグ・アボットです。共和党のトランプ派です。「投票箱がいくつもあると不正が起こる」と言い出して。
同じようにして、共和党員が州知事を務め、議会でも主導権を握る南部の州では民主党支持者が多いアフリカ系やヒスパニックが多く住む地域の投票所を、どんどん閉鎖していきました。具体的にはテキサス、ジョージア、アリゾナ※地図(31)などの州で2013年から2019年の間に合計で1000以上の投票所が閉鎖されています。いずれも黒人居住地区です。投票所が少なくなると、投票所は遠くなるし、行列も長くなって、1日がかりの大仕事になる。しかも、貧困層は自動車を持ってない人も多いし、投票日は平日だから仕事も休めなくて、投票に行けない。それでアフリカ系の投票率が下がる。だからアフリカ系の候補が選挙に勝てなくなる。すると州議会の議員は白人ばかりになる。アフリカ系の多い地域の投票所の数を増やさないわけです。

★郵便投票を妨害するためポストを撤廃

藤谷 でも、2020年は投票所に行かなくてもいい郵便投票でしたよね。

町山 郵便投票になると決まった段階で、黒人やヒスパニックや貧困層が投票しやすくなるから、共和党が不利になると予想されました。だから、投票前からトランプ氏は「郵便投票は不正が起こるはずだ」と言っていたわけです。

投票日の半年前、トランプ大統領(当時)は郵政長官に宅配業経営のルイス・ディジョイ氏を指名し、彼に郵便ポストの撤去、仕分け職員の削減、郵便局の営業時間短縮などを行わせました。そもそもトランプ氏が勝利した2016年の選挙でも2割以上が郵便投票だったのに、です。

藤谷 そうそう。それで、郵便が届かなくなりました。

町山 町のあちこちに立っていた郵便ポストが急に消えてしまいました。大統領自身の手で、郵便投票を妨害するために、郵便事業そのものを縮小しようとしました。しかし、さすがに国民の生活に大きな影響が出始めたので、議会で民主党が郵政長官を召喚して、業務縮小を止めました。

藤谷 そこまでして、投票率を抑えたかったんですね。

★投票権への闘いを妨害した最高裁判決

町山 しかし、歴史をさかのぼれば、「黒人に投票させない」——これは、南北戦争で黒人奴隷が解放されてから現在に至るまで一貫して、南部各州がやってきたことでもあります。最初は有権者登録しようとする黒人にテストをしました。歴史や法律の質問を延々とします。

藤谷 何問くらいですか？

町山 間違えるまで続けるんです。だから合格は不可能です。これを黒人にだけ行いました。こういった南部の黒人差別法を「**ジム・クロウ法**」と呼びます。ジム・クロウとは、大衆演芸で、白人が顔を黒く塗って演じる間抜けな黒人のキャラクター。「黒人はバカだから選挙権を与えない」というやり方です。映画『グローリー／明日への行進』（2014年）の前半、アラバマ州でこの質問をして黒人女性（オプラ・ウィンフリー）の有権者投票を却下するシーンが出てきます。あれは1964年頃の様子ですね。

藤谷 南北戦争終結は1865年ですよね。

町山 そう。つまり、南北戦争後約100年にわたって、黒人の投票権を奪っていたということです。その間、ずっと黒人たちは闘い続け、ついに1950年代、マーティン・ルーサー・キング牧師たちが非暴力闘争を展開します。抗議のためにアラバマ州議会に行進した時は、さえぎる警官隊に殴られ、多くの負傷者を出しました。**KKK**（クー・クラックス・クラン／白人至上主義団体）に殺された運動家もいます。しかし、10年以上も闘い続けた結果、ついに1965年、すべての人種の投票権を守る投票権法が成立しました。これによって、１００年ぶりに南部の黒人も選挙で投票することができるようになったんです。

藤谷 長い闘いでしたね。

町山 これで、ジム・クロウ法で黒人の投票を妨害してきた州において、政府が投票についての規定を変える際には、連邦政府の許可が必要になりました。つまり、州政府が勝手に投票所を閉鎖したりできないわけです。

藤谷 でも、先ほど、南部では２０１３年から１０００以上の投票所を閉鎖したと。

町山 ２０１３年に最高裁が投票権法を無効にする判決を下したからです。アラバマ州のシェルビー郡※地図(32)が、南部だけが連邦政府の許可なしに投票所を閉鎖できないのは差別だと訴えたんです。そうしたら最高裁判事９人のうち共和党側の最高裁判事５人が訴えを認めました。

判決文で、ロバーツ最高裁長官は「投票権法は差別を是正するために大きな役割を果たした。おかげで差別はなくなったから、この法律は役割を終えた」と書いています。

反対意見を述べたギンズバーグ判事は、「雨の中で傘を差したら濡れなくなったから、といって傘を捨てるようなものです」と書きました。彼女が心配していた通り、この判決の後、南部の州政府は次々に投票所を閉鎖し、投票の規則も変えていきました。たとえば「**写真ＩＤ法**」です。

★写真ＩＤ法という人種差別

町山 写真ＩＤ法とは、投票の際に身分証明書による本人確認を求めることを要求する州法です。南部の各州で、運転免許証やパスポートなどの「厳格な写真つきＩＤの提示」(Strict Photo ID) の提示を義務づける法律が成立しています。州は、「不正投票を防ぐためだ」と説明していますが、本当の目的は有色人種の投票を制限するためだと言われています。

藤谷 ＩＤを持たない人はマイノリティが多いですよね。

町山 その通りです。まず、黒人の約25％が運転免許証やパスポートを持っていません。それからメキシコ系の人たち。彼らも女性とかお年寄りが多いです。そして貧困層の人たち。つまり写真ＩＤ法を作ることによって、黒人とかラティーノの票が減る。

投票をコントロールするための法律とも言えるわけです。

ウィスコンシン州※地図(33)は、長年にわたって投票率が全米で最も高い州の１つで、有権者の約７割が投票をしていました。しかし２０１６年の大統領選挙は近年まれに見る低い投票率でした。その結果、それまで７回連続で民主党が勝利していた同州で、トランプ氏が勝利したんです。わずか２万３０００票差でした。なぜトランプ氏は、民主党が強いこの州で勝てたのでしょうか。実はこの日、大勢の人が投票や期日前投票を拒否されていたんです。

それを主導したのはスコット・ウォーカー知事（共和党・当時）と、共和党の州議員たちです。彼らは２０１１年、不正投票を防ぐという名目で写真ＩＤ法を制定しました。投票には有効期限のある本人の写真と、署名の入ったＩＤを提示しなければなりません。何万人もの人たちが投票を妨害されました。

藤谷　それって、ずるじゃないですか。

町山　「投票したいなら免許を取ればいいじゃないか」と言う人もいるかもしれません。しかし、そもそも投票について、何らかの条件を満たす必要がある、ということ自体が、投票権の平等に反するんです。

【図2】ゲリマンダリングの仕組み

選挙区の区割りに変化をつけることで、以下のA、B、Cのように獲得議席数を変えることができる

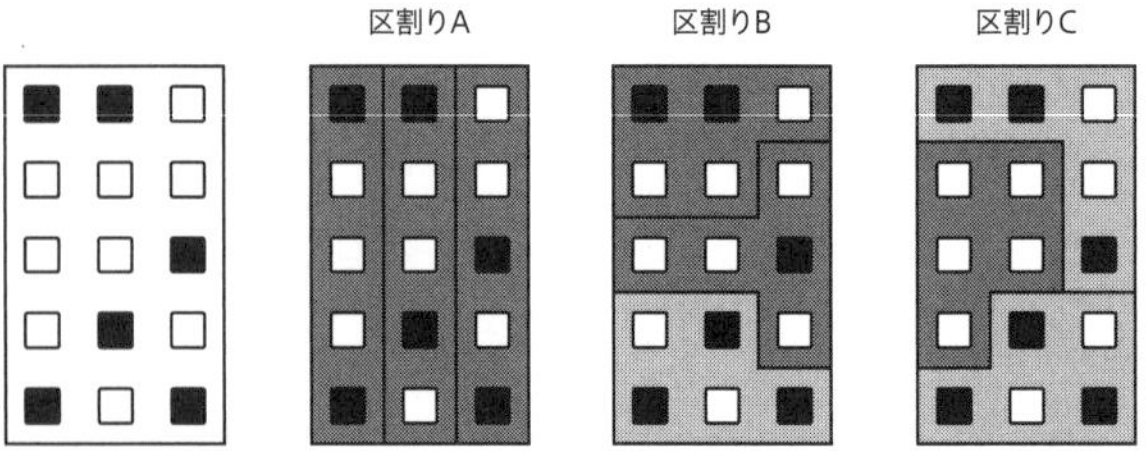

□党と■党の支持者が3：2の割合で存在　□党の獲得議席数は3　□党は2議席獲得、■党は1議席獲得　□党は1議席獲得、■党は2議席獲得

★「ヘンな選挙区」がもたらしたもの

町山　あと、アメリカ合衆国の選挙を歪めている問題として**ゲリマンダリング**（Gerrymandering）があります。これは大統領選だけでなく、連邦の上下院議員や州議員の選挙の問題にもなりますが。

藤谷　ゲリマンダリングって、怪獣みたいな名前ですね。

町山　まさに怪獣です。1812年、マサチュー※地図(34)セッツ州知事のエルブリッジ・ゲリーが、選挙区割りを変えた際に、その区割りがあまりに不自然で、地図を見るとおとぎ話とかに出てくるグロテスクな火龍（サラマンダー）に似ていたのでゲリーのサラマンダ

ー、ゲリマンダーと呼ばれるようになりました。

アメリカの政治家は、自分や自分の政党に有利なように意図的に選挙区を分けます。第4章でも言いましたが、アメリカでは都市部に民主党の支持者が多く、農村部では共和党の支持者が多い。でも、どこの国でもそうですが、都会に人口が集中して、農村部の人口は減っていきました。そこで、1980年代から、州知事や州議会の多数派を握った共和党は、各地で選挙区の割り直しをしてきました。民主党が強かった選挙区を小さな地区に分割したり、共和党が強かった地区と組み合わせたりして、共和党の候補はより少ない得票数で、議会において、より多くの議席を確保できるように区割りをし直していきました。

藤谷 法律違反じゃないんですか?

町山 もちろん、選挙の平等を守る投票権法に違反していると思いますよ。実際、2004年にペンシルベニア州※地図(35)の民主党の州議員は、同州のゲリマンダリングが投票法違反だと訴えました。しかし最高裁は、それは違憲ではない、と裁定したんです。その後の選挙で、各地の州議会の多数派を取った共和党は、共和党に有利な区割りを決めました。その新しい区割りで、2012年の選挙が行われました。その結果、連邦下院選挙では、民主党が総得票数では共和党よりも１００万以上多く票を得たものの、議席の数では共和党が33も増やしました。

★白人の人口減少が引き金を引いた

藤谷　そんな裏技ばかり使ってないで、普通に選挙すればいいいんじゃないかと思いますけど。

町山　共和党は単純に支持者人口が少ないんです。２０２０年のギャラップ社の世論調査では、アメリカ人全体のうち、民主党支持者が31％なのに対して、共和党支持者は25％です。支持者の絶対数が少ないんですよ。

また、支持政党は人種によって傾向があって、ピューリサーチセンターが２０２０年に発表した調査によれば、白人の約53％が共和党支持、約42％が民主党支持なんですが、黒人の共和党支持者はたった10％、ヒスパニック（中南米）

でも約29%しかいないんです。

藤谷 つまり、共和党は「白人の党」なんですね。

町山 はい。契機となったのは、1968年の大統領選でリチャード・ニクソン候補が、「**南部戦略**」——つまり南部の白人を支持層に取り込んだことです。しかし、本書の10章で詳しく述べますが、白人の人口は年々、減り続けています。
アメリカ国勢調査局によると、総人口における人種の割合は2014年の段階で白人62・2%、ヒスパニック17・4%、黒人13・2%、アジア5・4%でしたが、近年のヒスパニックおよびアジア系移民の増大で、白人はずっと数を減らし続け、2050年には過半数を割りそうなんです。
白人の減少が特に顕著なのがテキサス州。既に2016年にはヒスパニックは40%近くを占め、白人は約43%と半数を大きく割り込んでいます。
ジョージアも現在は白人が51・8%で白人がマジョリティの時代は終わりかけています。黒人は30%を超え、ヒスパニックも10%を超えそうです。

藤谷 では、共和党も黒人やヒスパニックの票が集められる政策にすればいいじゃないですか?

町山　その通りです。現実に目を向けて黒人の権利を守り、移民に寛容な政策に移行すれば共和党の支持は伸びます。もともと黒人もヒスパニックもキリスト教を信じ、家族の価値を重んじる保守的な倫理観の人が多いので。でも、黒人やヒスパニックに寄りすぎると現在の支持者である白人の票を失ってしまうから、政策が転換できないんです。

白人至上主義的なトランプ氏が白人の人気を集めたことで、それが共和党のスタンダードになった今では、非白人を支持層に取り込んでいくことの難易度はさらに上がりました。

そこで、共和党が選挙に勝つための方策が、黒人やヒスパニックに「投票させない」ことなんです。でも、未来のない引き延ばし案だと思いますよ。

★★ アメリカの今を知るキーワード ★★

ジム・クロウ法

19世紀の終わりから1960年代まで続いた、南部諸州の黒人差別法の総称。

KKK

南北戦争後のアメリカ南部で白人至上主義を掲げ、暴力行為などで黒人を迫害した秘密結社。

投票権法

1965年成立。すべての人の投票権を守る法律。南部の黒人も選挙で投票することができるようになった。

写真ID法

投票の際に身分証明書による本人確認を求めることを要求する州法。

ゲリマンダリング

政権担当者が選挙で自党を有利にするために、不自然な形で選挙区の境界線を決めること。

南部戦略

1968年の大統領選で、南部の白人を支持層に取り込んだニクソン候補の選挙戦略。

第6章

★★★★★★★★★★

最高裁が自由と平等の国をちゃぶ台返し！

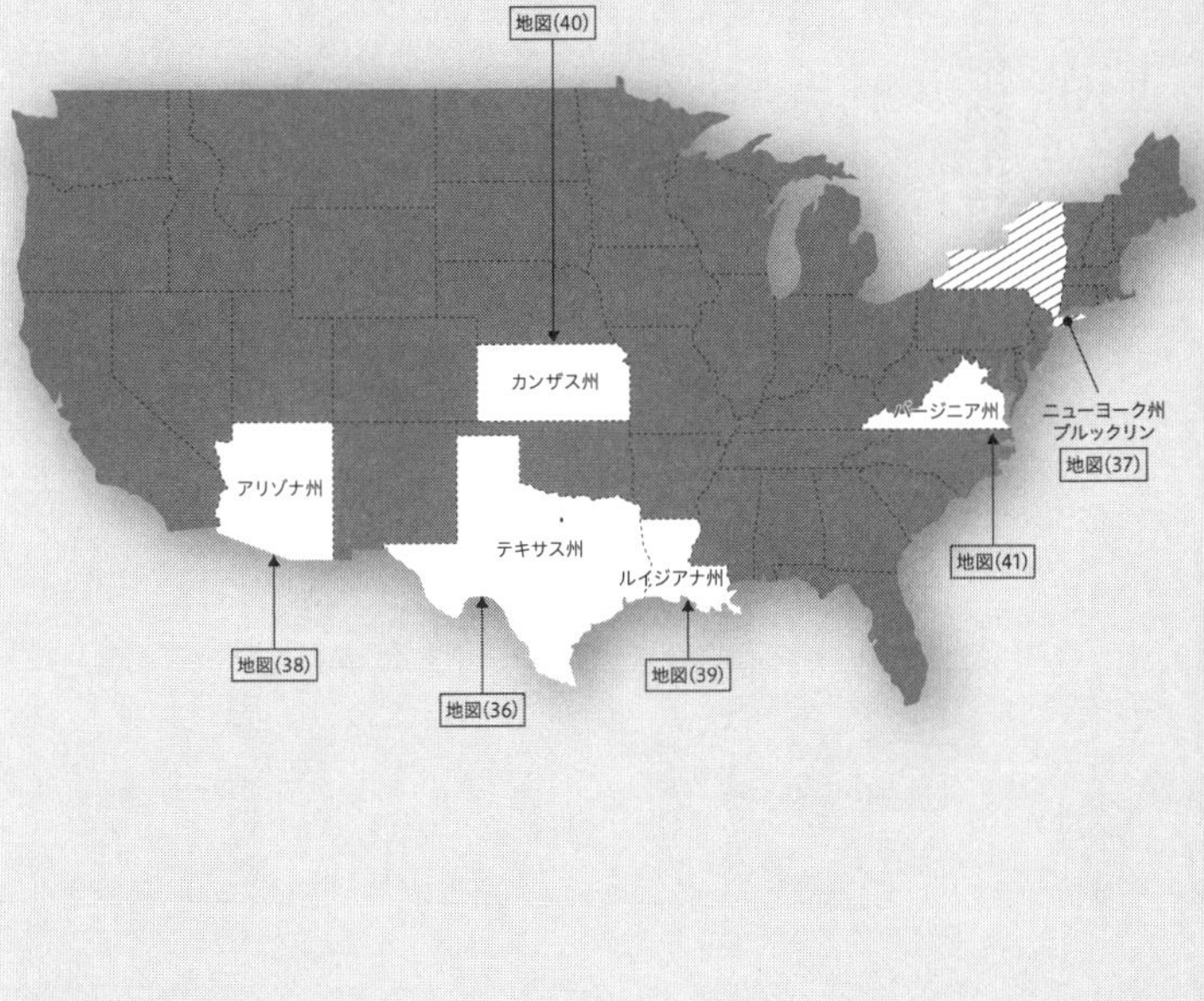

今、アメリカの連邦最高裁判所が暴走しています。

投票権の侵害を合憲とした判決（第5章）に始まり、ニューヨーク州の銃規制を違憲とし（第2章）、政教分離の原則を踏みにじり、ついには中絶の権利を女性から奪った（第1章）最高裁は、さらに同性婚や同性愛、加えて避妊までをも禁じようとしています。

自由と平等の国・アメリカを守るために存在するはずの最高裁が、逆に国民の自由と平等を脅かしつつあるんです。

それは、9人の判事のうち、6人が共和党の大統領に指名されたキリスト教保守派であるという不均衡が原因。2021年9月のギャラップの世論調査によると、最高裁を評価するアメリカ国民は40％で、過半数が最高裁に不満を抱いています。

★同性婚も同性愛も避妊薬も、全部禁止！

町山　最高裁が人工中絶の権利を否定した判決に、保守派のクラレンス・トーマス判事がこんな意見書をつけ加えました。「今後、ローレンス、グリスウォルド、オーバーゲフェルを含む、最高裁判決の先例すべてを再考する」。

グリスウォルド判決というのは、1965年に最高裁がピル（経口避妊薬）を合憲とした判決です。

また**ローレンス判決**※地図(36)とは、2003年に最高裁がソドミー法を違憲とした判決です。かつてテキサスなど南部のいくつかの州法では、同性愛行為を犯罪としていたんです。

そのテキサス州で、通報があって警官が民家に飛び込んだら、そこで男性ふたりが愛の行為をしていたため、ソドミー法に則って逮捕されました。最高裁まで争って、ソドミー法はまさにプライバシーの侵害であり、憲法違反だと判決されたのが、ローレンス判決です。

オーバーゲフェル判決とは、同性婚を合憲とする2015年の最高裁判決です。トーマス判事は、それを全部ひっくり返そうと言っているんです。

藤谷 アメリカは自由と平等の国だと思っていたのに、そうではなくなりつつありますね。でも、なぜ急に最高裁はこんな状態になってしまったんでしょう？

★一度任命されたら、一生最高裁判事

町山　連邦最高裁判所は、アメリカの立憲政治の3つの柱の1つです。大統領が政治を行い、議会が法律を作り、そして最高裁は、大統領の政治と州や連邦の法律が、憲法に違反していないかどうか判定します。「No one above the law（法の上に立つ者なし）」という言葉の通り、大統領が大統領令を出しても、議会が新しい法律を作っても、最高裁によって憲法違反とされれば無効になります。

最高裁の判事は、大統領が候補者を指名します。もちろん、その人を任命するには上院議会の多数決による承認が必要です。つまり、最高裁は議会と大統領を見張るけれども、最高裁の判事を決めるのは大統領と議会です。それが大統領府と議会と最高裁の三権分立ですね。

藤谷　大統領はいつ、最高裁判事候補者を指名するんですか？

町山　欠員が出た時だけです。最高裁判事はいったん任命されると引退するか亡くなるまで在任します。基本的に罷免することはできません。

藤谷 大統領が、自分に都合の悪い判事を勝手にやめさせたりできないようにするためですね。

町山 そうです。最高裁判事は、判事9人の多数決で判決を下します。憲法判断において、民主党の大統領に指名された判事と共和党の大統領に指名された判事とで意見が割れますが、9人だから必ずどちらかが多数派になって決まります。
大統領の任期は4年の2期ですから、その間に欠員ができて指名できるチャンスは1回もしくは2回です。今までは、この形でバランスが取れていました。
ところが、そうではなくなってしまったんです。

★6対3、最初から勝負が決まっている

町山 2022年7月時点の最高裁判事9人、それぞれを指名した大統領は次の通りです。

クラレンス・トーマス　男性・74歳　1991年、ジョージ・HW・ブッシュ（共和党）

ジョン・ロバーツ
男性・67歳　２００５年、
ジョージ・W・ブッシュ（共和党）
サミュエル・アリート
男性・72歳　２００６年、
ジョージ・W・ブッシュ（共和党）
ソニア・ソトマイヨール
女性・68歳　２００９年、
バラク・オバマ（民主党）
エレナ・ケイガン
女性・62歳　２０１０年、
バラク・オバマ（民主党）
ニール・ゴーサッチ
男性・55歳　２０１７年、
ドナルド・トランプ（共和党）
ブレット・カヴァノー
男性・57歳　２０１８年、
ドナルド・トランプ（共和党）
エイミー・コニー・バレット
女性・50歳　２０２０年、
ドナルド・トランプ（共和党）
ケンタジ・ブラウン・ジャクソン
女性・51歳　２０２２年、

ジョー・バイデン（民主党）

町山　ご覧の通り、共和党6対民主党3なので、それまでの最高裁判決を次々にひっくり返す判決が出続けているんです。

藤谷　6対3になったのは、トランプ氏の4年しかなかった任期中に3人も指名しているからですね。オバマ大統領の任期中、欠員が出たのに、共和党が補充を拒否したから。

町山　そうなんです。オバマ大統領任期8年目の2016年2月に、最高裁判事の超保守派だったアントニン・スカリア判事が急死して、オバマ大統領は後任を指名したのですが、その承認のための審議を、当時、上院を多数支配していた共和党が拒否したんです。

藤谷　上院院内総務のミッチ・マコネル氏は審議拒否の理由を「オバマ大統領の任期が残り10ヶ月しかないから」と言っていましたね。

町山　はい。仕方ないので、最高裁はしばらく8人で運営を続けるという異例の事態になりました。その後トランプ氏が大統領になって、すぐにその欠員を埋めて、さらに

2018年に民主党のケネディ判事が引退して、トランプ氏がその欠員をカヴァノー氏で埋めて、共和党の判事5対民主党の判事4になったんですが……。

★男女平等のために闘い続けたギンズバーグ判事

町山　2020年9月18日、あのルース・ベイダー・ギンズバーグ判事が87歳でこの世を去りました。名前の頭文字を取ったRBGのニックネームで親しまれたギンズバーグ判事は、常に女性や少数者の権利のために闘ってきました。

ギンズバーグの人生はアメリカンドリームそのものでした。ブルックリン※地図(37)の貧しいユダヤ移民の家に生まれた彼女は、母として子育てをしながら、コロンビア大学ロースクールを首席で卒業しました。しかし、女性ゆえに当時は弁護士事務所に就職できず、孤高の人権弁護士として男女平等のための裁判を闘い、いくつもの判例を勝ち取り、1993年、クリントン大統領から指名されて最高裁判事に就任。サンドラ・デイ・オコナー判事に続き、2人目の女性判事となりました。

ギンズバーグさんは最高裁判事として、いくつもの歴史的判決を下してきました。

女人禁制だった士官学校に女性も入れるようにしたり、知的障がい者の住宅入居差別や、アリゾナ※地図(38)におけるゲリマンダリングも違憲としたりしました。彼女は80歳を過ぎて最高齢の最高裁判事になりましたが、「私が倒れたらアメリカの民主主義が壊れてしまう」と、ジムに通って体を鍛えていました。

藤谷　若い女の子もすごく憧れていましたよね。

町山　コメディ映画『ブックスマート／卒業前夜のパーティーデビュー』（2019年）では、高校でトップ成績を収めているヒロインが、自分の部屋に祭壇を作ってRBGをあがめていました。

藤谷　ところが、そのギンズバーグ判事が大統領選挙の直前、2020年9月18日に亡くなったんですよね。

町山　11月の大統領選挙の1ヶ月半前。トランプ大統領の任期は残り3ヶ月でした。

藤谷　オバマ大統領の任期満了10ヶ月前の欠員補充を拒否した共和党はどうするのかと思ったら、猛スピードで新判事を承認しようとしました。

町山　これで最高裁判事を共和党6対民主党3にしておけば、たとえ大統領選挙に負けても、最高裁をしばらく支配できるチャンスですから。

★超過激な宗教保守派バレット判事

町山　トランプ大統領がギンズバーグ判事の後任に指名したのはエイミー・コニー・バレットという人でした。彼女は1972年生まれで、5人の子どもを出産しました。厳格なカトリック教徒で、避妊に反対しているから子だくさんなんです。彼女はオバマケア（公的医療保険）で避妊の費用を補助してはいけないと主張しています。バレット判事はカトリックといっても、ただのカトリックではなく、「ピープル・オブ・プレイズ（People of Praise）」というグループに属しています。このグループはキリスト教の中でも、かなり厳格な教えを重んじると言われています。

バレット判事の法学の師匠は、最高裁判事だったアントニン・スカリア氏です。彼は、最高裁でずっと保守ゴリゴリの判決を下していたカトリックの判事です。いつもギンズバーグ判事と対立していました。そのギンズバーグ判事の後任に彼女のライバルだったスカリア氏の弟子を指名したわけです。

藤谷 エイミー・コニー・バレットさんは任命された時はまだ48歳だったんですね。

町山 最高裁判事としては特に若いです。連邦巡回裁判所の判事に任命されたのが2017年で、まだ3年しか連邦判事の経験がないんです。これに対して、ギンズバーグさんは弁護士として20年間も女性や弱者のために闘った後、47歳の時に巡回裁判所の判事に任命されて、それから13年働いた後、60歳で最高裁判事に任命されています。バレットさんよりキャリアの長い判事は他にいるんですけど、トランプ氏はなぜ彼女を選んだのか。

藤谷 あと、30年くらいは引退しないからですか？

町山 そうですね。トランプ氏が指名した他の2人の判事も50代半ばで、若い。それだけ長く最高裁判事として君臨できるということでしょう。

★最高裁判決を破壊するオリジナリスト

町山　こうして、今、最高裁判事9人中、6人が共和党になりました。そのうち、ジョン・ロバーツを除く5人、トーマス、アリート、ゴーサッチ、カヴァノー、バレットは、憲法解釈において「オリジナリスト」を自任しています。

藤谷　オリジナリスト？

町山　オリジナリズムは「原文主義」と訳されます。「憲法の条文が書かれた時の意図以上に拡大解釈しない」という意味です。たとえば、1973年に最高裁が中絶禁止の州法を違憲とした判決では、合衆国憲法修正第14条の「いかなる州もアメリカ市民の特権を制限する法を作り、あるいは強制してはならない」に反しているという解釈だったんですが、オリジナリストは修正第14条を、「中絶について作られた条文ではないし、憲法のどこにも中絶について書かれていない」として、中絶の権利を守ることを否定したんです。

最高裁が、6月30日に連邦環境保護庁にCO_2を規制する権限がないと判決したのもオリジナリズムでした。これは19の共和党の州がCO_2規制のせいで石油や石炭発電ができないからと環境保護庁を訴えた裁判でした。最高裁は「環境保護庁が規制の根拠とするクリーン・エア・アクト（空気浄化法）は1963年に立法した際には亜硫酸ガスなどを規制するためのもので、CO_2規制のためではない」と判決しました。

藤谷 当時はまだCO_2の温室効果はわかっていなかったですからね。

町山 この判決に対して、バイデン大統領は「破壊的な判決だ」と言っています。バイデン政権は2030年までにCO_2の排出量を半分に減らすと公約していたんですが、この判決で不可能になりました。

藤谷 今の最高裁の保守派の人たちは、キリスト教の信条から中絶や同性婚に反対していると思っていましたが、これについてはそうではなさそうですね。

町山 CO_2規制に反対するのは、石油や石炭企業に後押しされた共和党のポリシーです。今回はそれに従った形ですね。

★憲法の拡大解釈がアメリカを作った

町山 でも、実際は、憲法の拡大解釈がアメリカを発展させてきたんです。

アメリカ憲法の中心にあるのは、1776年7月4日に公布されたアメリカ独立宣言です。それは「すべての人間は生まれながらに平等である」という宣言で始まります。でも、それが書かれた時、選挙権があるのは土地を所有する白人男性だけだったんです。

藤谷 女性や有色人種はその限りではなかったんですね。

町山 だから、オリジナリズムによると「憲法を書いた人は女性や黒人の平等を守るつもりはなかった」ということになってしまうんです。でも、アメリカは歴史の中で、この「すべての人間」を女性や有色人種へと拡大していきました。

藤谷 すべての人間ですからね。

町山 でも、最高裁は常にそう考えてきたわけではありません。何度も「すべての人間」を狭い解釈にしようとしてきました。それが南北戦争の引き金になったんです。1857年、アメリカ南部は奴隷制度を続け、北部は奴隷を解放する「自由州」だった頃、自由州に住むドレッド・スコットという奴隷として生まれた男性が「所有者」からの解放を求めて裁判になりました。しかし、最高裁の判決はスコット氏を「所有物」とし、彼の人権を否定しました。

これは奴隷制度を肯定する憲法判断でしたが、かえって奴隷制に反対する人々の怒りを呼び、エイブラハム・リンカーンは奴隷制を憲法で撤廃するために共和党を設立し、大統領に立候補しました。リンカーンが大統領に選ばれると、南部は奴隷制を維持するため、連邦から離脱して、北部に戦争を仕かけました。これが南北戦争です。

１８６５年、南北戦争は合衆国側の勝利に終わり、新たに作られた合衆国憲法修正第13条で奴隷制度が禁止され、第14条ですべてのアメリカ市民の自由と平等が保障され、第15条で人種に基づく投票権の制限が禁止されました。

しかし、南部はその後、人種隔離政策を始め、州法で黒人と白人の結婚を禁じ、黒人と白人が同じ学校に通うことや、交通機関で同乗することを禁じました。さらに、95ページでも述べたテストなどで黒人の投票を妨害する州法を作りました。

１８９０年、南部ルイジアナ州※地図(39)で鉄道の白人専用車両に乗ろうとしたホーマー・プレッシーという8分の1黒人の血が流れる男性が、州法の人種隔離違反で逮捕されました。プレッシーは「これは人種の平等を保障する合衆国憲法修正第14条違反だ」と裁判を起こしました。ところが、最高裁は「分離はしているが平等である」と、人種隔離を合憲とする判断をしたんです。南部の人種隔離はこれ以降、75年も続きます。

１９０９年、黒人たちはＮＡＡＣＰ（National Association for the Advancement of Colored People／全米黒人地位向上協会）を結成して、人種平等を求めてデモや法廷闘争を続けました。それが40年以上続いた１９５１年、カンザス州※地図(40)のアフリカ系男性オリバー・ブラウン氏が、娘が白人用の公立小学校への入学を拒否されたのは、合衆国憲法修正第14条違反であると訴えて裁判を起こします。１９５４年、最高裁はついにカンザスの学校の人種隔離は違憲である、と判決し、これをきっかけに南部で人種隔離撤廃と黒人の投票権を求める公民権運動が拡大していきます。10年後の１９６４年、連邦議会で人種差別を禁止する公民権法が成立。翌65年、投票権の平等を守る投票権法が成立。南北戦争から１００年目に、黒人はやっと法的に解放されました。

★アンバランスを正すには？

町山　最高裁が時代を逆戻りさせるかのような判決を連発する中で、6月23日、ソトマヨール判事は憲法研究会で「最高裁判事も人間です。人間である限り、当然、間違いを犯します」と述べました。

藤谷　オバマ政権で任命された判事ですね。

町山　3人の民主党判事の1人です。彼女は「私も落胆する日があり、深く失望する瞬間もあります」と言いましたが、「そのたびに私は、傷口をなめ、泣いた後に、『闘いましょう』と言うんです」と希望を示しました。

ソトマヨール判事は、米国憲法は黒人には適用されないと宣言した悪名高い1857年のドレッド・スコット判決を最高裁が取り消すまでに100年もかかった、と言いました。

ドレッド・スコット判決のせいで南北戦争が起こりましたが、ソトマヨール判事は、「今回は戦争ではなく、法廷制度や政治を通して、国民の信頼を取り戻すために毎日闘いを続けていくつもりです」と言いました。

この最高裁のアンバランスを是正するために、最高裁の判事数を9人から11人、または13人に増やすコート・パッキングという方法があります。

藤谷 そんな裏技があるんですね。

町山 人数は憲法に規定がないので、立法すれば増やせます。増えれば増えるほど、今のように一方的に乗っ取られる危険性が減るわけです。

もう1つの方法は判事を罷免することです。

藤谷 罷免できないんじゃなかったですか？

町山 最高裁判事にふさわしくない行為があれば弾劾できます。判事は承認の際に、法以外の何者にも従わない、と宣誓していますが、今のオリジナリスト判事たちは、個人的な宗教的イデオロギーを判決に反映させているので、宣誓に反しているから弾劾すべし、という声が上がっています。

また、過去の最高裁判決を片っ端からひっくり返そうとしているクラレンス・トーマス判事の弾劾を要望する署名は、2022年7月14日時点で120万人以上集まっています。

奥さんのジニ・トーマスが右翼活動家で、2020年の大統領選でトランプ氏が負けた時に、トランプ氏の首席補佐官マーク・メドウズに「選挙結果をひっくり返して」と何度もメールしています。また、トランプ氏が負けた接戦州の共和党政治家にも同じようにメールで圧力をかけていたんです。

藤谷 下院議会の議会襲撃調査委員会は、ジニ・トーマスさんに証人として召喚状を出しています。彼女がそれを拒否したら議会侮辱罪になります。

町山 でも、奥さんがやったことで、夫のトーマス判事を罪に問えないんじゃないですか？

藤谷 そうなんです。それに判事の弾劾も、判事の定員を増やすことも、上院の議席の半分を共和党が占めているうちは無理なんです。前途多難ですね。

町山 俳優のサミュエル・L・ジャクソンは、トーマス判事にこうツイートしてます。「トーマスさんよ、**ラヴィング判決**はどうするんだい？」

藤谷 ラヴィング判決？

町山 南部では州法で黒人と白人の結婚が禁じられてたんですが、1967年にラヴィング夫妻がバージニア州※地図(41)を訴えて、最高裁が異人種間結婚の禁止は憲法違反だと判決したんです。で、トーマス判事は黒人で、ジニ夫人は白人なんですよ。

藤谷 なるほど。さすがサミュエル！

★★ アメリカの今を知るキーワード ★★

グリスウォルド判決
1965年にピル（経口避妊薬）を合憲とした最高裁の判決。

オーバーゲフェル判決
2015年の同性婚を合憲とする最高裁判決。

ローレンス判決
同性愛など、特定の性行為を性犯罪とする法律・ソドミー法を、違憲であるとした判決。

ルース・ベイダー・ギンズバーグ判事
1993年、クリントン大統領の指名で最高裁判事に就任。RBGの愛称で親しまれた。

オリジナリスト（原文主義）
「憲法の条文が書かれた時の意図以上に拡大解釈しない」という主義。

ラヴィング判決
1967年にラヴィング夫妻の訴えを受けて、最高裁が異人種間結婚の禁止は憲法違反だとした判決。

第7章

★★★★★★★★★★

反ワクチンや議会襲撃を醸成したQアノン

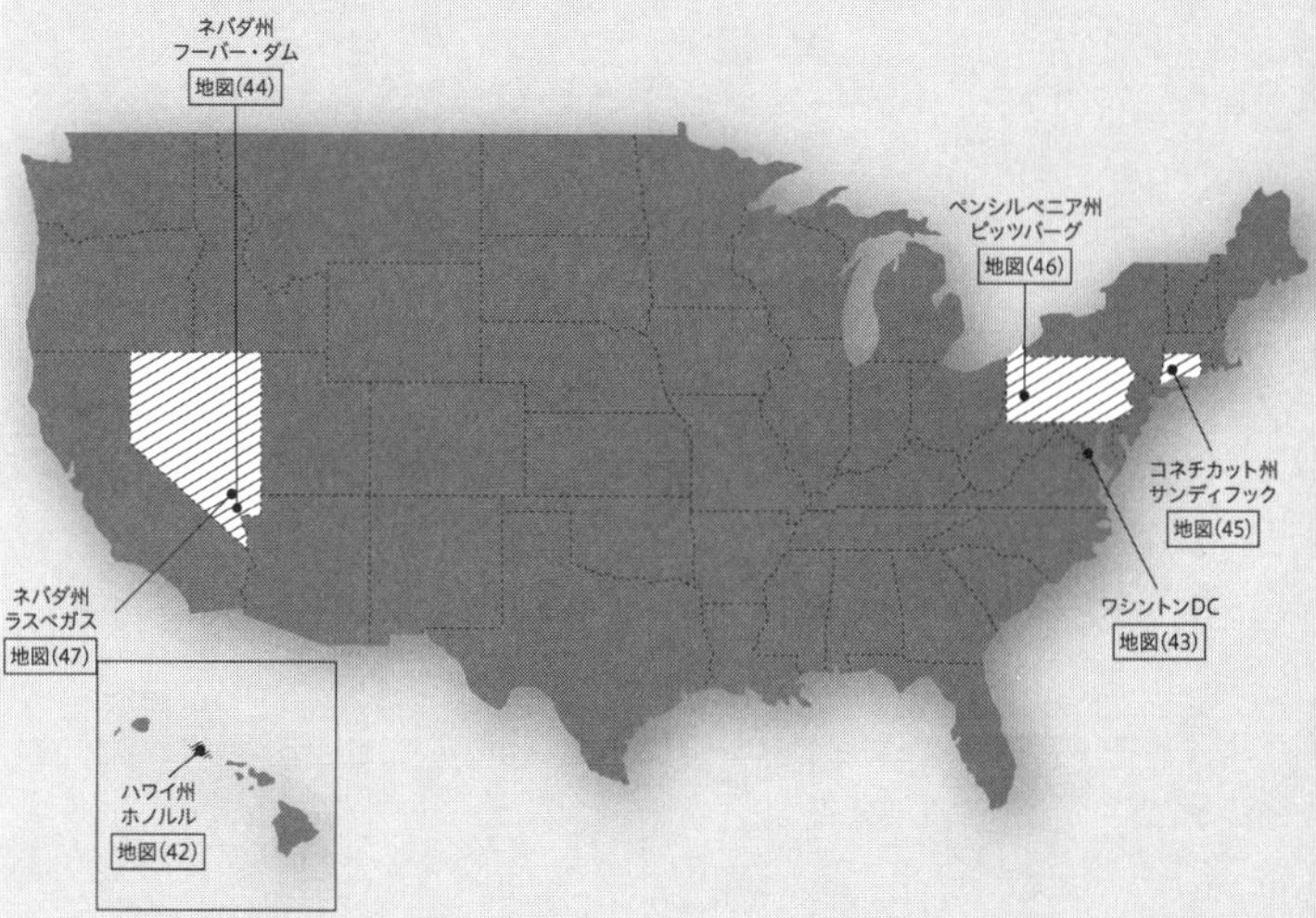

事実とは異なるニュース、いわゆるフェイクニュースの中には「陰謀論」というものが存在します。「背景に存在する強い権力・組織の力によってある出来事が操作されている」と主張するものです。直近で記憶に新しいものは、「新型コロナ・ワクチンは人類の人口制御を目的としている」とするもの。その他にも、「2001年に発生した同時多発テロはアメリカ政府が仕組んだもの」とするものもありました。陰謀論には政治に関するものも多く見られます。2021年1月、アメリカ大統領選挙において、ジョー・バイデン氏の陣営が不正を行ったとして、熱烈なトランプ支持者たちが米連邦議会を襲撃する、という驚くべき事件が発生しました。日本のマスメディアでも大きく報じられたので、記憶にとどめている方も多いと思います。

なんと、その事件のきっかけを作ったのも、「Qアノン」と呼ばれる陰謀論者の集団でした。インターネットの大手掲示板、4chanに、数年前から陰謀論的な投稿を行ってきた「Q」なる人物を中心としています。

Qアノンの主な主張はこうです。「アメリカの政財界は闇の組織であるディープ・

ステートに操られている。そして、この闇の組織と闘うために神に選ばれた救世主こそが、トランプ氏なのだ」。

こうした背景を見ていくと、ある意味、トランプ氏は陰謀論の力で大統領になった人物であった、とも言えます。バイデン政権に移り変わってからも、アメリカ社会に多大な影響を与え続ける「陰謀論」。その実情に迫ります。

★陰謀論で大統領が誕生!?

町山　陰謀論といえば、トランプ氏はある意味、陰謀論によって大統領になった人なんです。「バーサーズ」をご存じですか？

藤谷　いえ、初めて聞きました。

町山　造語ですからね。「バラク・オバマ氏にバース・サーティフィケイト（Birth Certificate／出生証明書）の提示を求める者たち」という意味です。バラク・オバマ氏が2009年に大統領になった時、「彼は実はアメリカ生まれではない」という説が出てきたんです。憲法で大統領になれるのはアメリカで生まれ

た人物だけと定められています。アメリカ合衆国の憲法はイギリスとの独立戦争時に制定されたので、イギリス生まれだと寝返る可能性があったからです。

藤谷　でも、オバマ氏、ハワイ生まれですよね？

町山　そうです。1961年8月4日、ハワイ州ホノルル※地図(42)で誕生しました。でも、アフリカ系が大統領になることにどうしても我慢できない人々が、「オバマは、父親の故郷であるアフリカのケニア生まれであることを隠している。出生証明書を見せろ」と言い出したんです。こういう人たちをバーサーズというわけです。

オバマ氏はすぐに証明書を見せたんですが、バーサーズは「でっち上げだ」と信じない。そこに乗っかったのがトランプ氏です。彼は「オバマは出生地を隠している」と言い出して、反オバマの人たちから絶大な人気を集め、

藤谷 2012年には、トランプ氏も大統領選に出馬する意向を示し始めました。オバマ氏と闘う可能性があったということですね。立候補は結果的にその4年後になりましたが。

町山 2016年の大統領選挙に出馬したトランプ氏は、オバマ氏の出生地疑惑をオバマゲートと呼びました。トランプ支持者たちは、オバマゲートは「ディープ・ステート」という闇の組織による陰謀だという論を作り上げていきました。

★ディープ・ステートとピザゲート事件

町山 ディープ・ステート（deep state／闇の国家）というのは、世界を裏側から支配している秘密結社だそうです。構成メンバーはジョージ・ソロス、ビル・ゲイツなどといった国際的な資本家をはじめ、民主党員、さらにCNNなどの主流メディアやジャーナリスト、ハリウッドのスターたち、共産主義者など。ここへ中国も絡んでいる、と。

つまり、アメリカの右派の人たちが嫌いなものを全部1つのお重に入れちゃった感じですね。このディープ・ステートと戦う正義の味方がドナルド・トランプ氏だというんです。

藤谷 そして、ディープ・ステート陰謀論から「**ピザゲート事件**」が発生しました。首都ワシントン※地図(43)にある「コメット・ピンポン」というピザ・レストランの地下で、ディープ・ステートのヒラリー・クリントン氏や民主党員が小児性愛者のネットワークを運営しているという陰謀論です。

町山 なぜ、ピザ・レストランで？

藤谷 ヒラリー氏の選挙スタッフのメールが流出し、そこに「ピザが食べたい」という一文があったからです。それがネットで「〝ピザ〟は小児性愛の隠語だ」と騒がれて、子どもを売買しているという陰謀論になっていったんです。
それをそのまま信じてしまった人物が、2016年12月4日、「コメット・ピンポン」にライフルを持って押し入り、発砲。「この店の地下に誘拐された子どもを隠しているだろう」と叫んで逮捕されました。そもそも、このレストランには地下室自体が存在しないんですけれどね。

藤谷 子どもをさらってどうするんですか？

町山　悪魔崇拝の儀式で生け贄に捧げているという説もあれば、子どもの生き血から若返りの薬を作っているという説もあります。ハリウッドのスターもその一員だと。そんな陰謀論を支持する人々は、ディープ・ステートと闘うために神から「選ばれし者（the Chosen One）」がトランプ氏だと信じているんです。

藤谷　なぜ、そうなるんでしょうか。

町山　もともとディープ・ステートという言葉をアメリカで広めたのは、トランプ氏の選挙参謀だったスティーブン・バノン氏と言われています。この言葉は、選挙で勝つための方策としても使われました。
２０１７年10月5日、トランプ氏がホワイトハウスで米軍幹部と協議した後、記者に「嵐の前の静けさだ」と言いました。「何の嵐ですか？」と訊ねられると「そのうちわかる」と言いました。
こうした、トランプ氏の謎めいた発言の解読者として登場したのが、Qアノンです。同月28日、４ｃｈａｎという匿名掲示板に、「Qクリアランス愛国者」と名乗るユーザーが登場しました。「Qクリアランス」とは、アメリカの国家機密情報にアクセスするために必要な権限を意味するそうです。つまり彼はトランプ政権のメンバーだと。そして、トランプ氏が言った「嵐」とは、ヒラリー・クリントン氏をはじめとするディープ・ステート関係者の大量逮捕を意味する、とほのめかしたんです。結果的には何も起こりませんでしたが、それ以降、Qは4chanや8chanなどの匿名掲示板に暗号のような投稿を続けました。次第に、Qというアノニマス(匿名者)は「Qアノン」として崇拝されていきます。トランプ氏の支持集会には「Q」の字を書いたシャツや旗を掲げた人々が集まり、Qアノンというカルトが形成されていったんです。

Qアノンの陰謀論支持者たち
Crush Rush/Shutterstock.com

★全米の17%がQアノンの陰謀論支持者!

町山　Qアノンの陰謀論が急速に拡散、浸透した背景にはSNSの普及があります。一見正当なメッセージに見せかけて、FacebookやTwitterなどで共有しやすくしたんです。

たとえば「子どもたちを救え(save the children)」

というハッシュタグがあります。これをクリックすると、ピザゲートのような小児誘拐陰謀論のサイトに誘導されます。こうして、いわゆる「意識の高い」人々、つまりアロマオイルや自然分娩、ヨガなどに関心のある人たちがQアノンに釣られていきました。

ハリウッド俳優のトム・ハンクス氏も、Qアノン信者に闇の国家の一員と名指しされ非難されています。

トランプ氏に批判的な人ほどQアノンから攻撃されます。トム・ハンクス氏やモデルでTVパーソナリティのクリッシー・テイゲン氏がビル・クリントン氏と一緒に写った写真をQアノン信者が見つけたことも原因の1つです。ビル・クリントン氏はQアノンの間では、児童の人身売買の首謀者とされています。

そして恐るべきことに、NPR（National Public Radio／アメリカ公共ラジオ放送）の2021年12月の調査によれば、アメリカ国民の約17％が、Qアノンの幼児誘拐陰謀論を信じています。

小児誘拐陰謀論には、実は800年くらいの歴史があるんです。

12世紀ヨーロッパで、ユダヤ系の人々が幼児の血を使って悪魔の儀式をしているという噂があったんです。これはブラッド・リベル（Blood libel／血の中傷）といって、ユダヤ人迫害や虐殺の口実となりました。ナチス・ドイツでも、タブロイド紙がこの「血の中傷」を報道、ひいてはホロコーストに繋がります。今回のディープ・ステート陰謀論も、黒幕はジョージ・ソロスなどユダヤ系の資本家だとしているので、実は昔からあるユダヤ陰謀論が復活したものともいえます。

藤谷 今回は、インターネットで始まったので、拡散するスピードがものすごかったんですね。

★Qアノンの正体は故ケネディ大統領の長男!?

町山 Qアノンは予言者・ノストラダムスみたいなものです。いつも謎めいた暗号みたいな投稿しかしないんです。それをネットで人々が解釈する。で、もしその予言が外れても、解釈が違ってたんだ、ということになるし、後から、「あの投稿は、この事件を予言していたんだ」と都合よく解釈することもできてしまうんです。

藤谷　そもそも、Qとは何者なんでしょうか？

町山　信者たちの多くは、ジョン・F・ケネディ大統領の長男・JFKジュニアだと信じています。彼は1999年に飛行機事故で亡くなりましたが、実は自らの死を偽装して、ディープ・ステートから身を守り、陰でトランプ氏を支援しているとQアノン信者は信じています。

もはや宗教ともいえる存在になったQアノンですが、これに触発された多くの暴力事件や違法行為が次々と発生しています。

たとえば2019年、マフィアのガンビーノ一家の幹部フランチェスコ・カリが自宅で射殺されました。犯人はマフィアと何の関係もないアンソニー・コメロ（24歳）で、カリをディープ・ステートの一員だと信じての犯行でした。コメロは、法廷でも手の平に描いた「Q」の字をかざし、陰謀論を主張し続けました。

また2018年には、ネバダ州のフーバー・ダム※地図(44)に架かる橋を、銃で武装したマシュー・P・ライト（30歳）が占拠し、ヒラリー・クリントン氏とディープ・ステートの関係を記した報告書の公開を政府に要求して逮捕されました。その報告書はQアノンが「あるはずだ」と主張しているものですが、実在しません。

トランプ氏はこうした一連の「Qアノンブーム」を積極的に利用しました。トランプ氏の次男エリック氏はSNSでQアノンの言葉を拡散し、「WWG1WGA」というQアノン信者たちの合言葉まで使っています。〝我々が1つになる場所に我々は皆行く（Where We Go 1, We Go All!）〟という意味です。

Qアノン信者にとって、トランプ氏の失敗はすべてディープ・ステートのせいでした。その考え方は陰謀論を信じる者の本質ともいえます。彼らは、「世の中が自分の望むようにならないのは全部ディープ・ステートのせいだ」と考えることで、何もかも解決されたような気持ちになるんです。

★陰謀論を餌に成功した人気ブロガー

町山　Qアノン誕生以前からディープ・ステート論を広めてきた男がいます。**アレックス・ジョーンズ**です。

アレックス・ジョーンズは『インフォ・ウォーズ（情報戦争）』というネット番組を主宰するブロガーです。これまで、ありとあらゆる陰謀論を広めてきました。たとえば、2001年の同時多発テロはアメリカ政府の自作自演だとか。

2012年にコネチカット州※地図(45)サンディフック小学校で銃乱射事件があり、20人の小学生と6人の職員が射殺された時、ジョーンズは「この件は、銃を規制したい勢力がでっち上げた芝居で、殺されたように見えるのは役者だ」と主張しました。これで遺族から名誉毀損で訴えられ、裁判で5000万ドルの賠償金支払いを命じられました。

2015年、大統領選出馬を決めたトランプ氏は『インフォ・ウォーズ』に出演し、ジョーンズを「君の仕事は素晴らしい」と称賛しました。ジョーンズもトランプ氏の情報源は自分だと主張しています。トランプ氏とジョーンズは陰謀論で結びつきました。2016年のトランプ氏の大統領選勝利にジョーンズは大きく貢献したと言われています。

2018年、Apple、Facebook、YouTubeなどが『インフォ・ウォーズ』の配信を停止し、視聴者数は半分に減ったものの、最盛期だった2015年から2018年にかけての収益は1億6500万ドルだと判明しています。

藤谷　どうやって稼ぐんですか？

町山　ネットでサプリを売ってるんです。

藤谷　ビタミンとかの？

町山　そうです。つまり、陰謀論はサプリを売るための宣伝なんですね。でも、彼を信じて事件を起こす人は少なくありません。ピザ・レストランを銃で襲った犯人も、「『インフォ・ウォーズ』でピザゲートを知った」と言っています。

2009年4月、ピッツバーグ※地図(46)でリチャード・ポプロウスキー（22歳）が警官にライフルや散弾銃やマグナム弾を浴びせて3人を殺害。逮捕された犯人は「これは革命だ」「アレックス・ジョーンズに影響された」と話しました。

2011年11月、当時21歳のオスカー・ラミロ・オルテガ＝ヘルナンデスは、オバマ大統領（当時）を暗殺しようとホワイトハウスにライフルを撃って逮捕。動機はアレックス・ジョーンズが自主制作したビデオ「オバマの偽り」を見て、オバマ氏を国際資本の手先だと信じ込んだからでした。

2014年6月、アレックス・ジョーンズの番組に何度か出演したことのある当時31歳のジェラード・ミラーと妻のアマンダの夫婦が、ラスベガス※地図(47)で無差別に3人を射殺。警官がジェラードを射殺すると、妻アマンダは自らの頭を吹き飛ばし、自殺しました。

★トランプ氏を「救世主」とあがめる人々

そして2020年、ついに大統領選挙がやってきました。

トランプ大統領（当時）を熱烈に支持し、Qアノン信者でもあるエレン・リー・チョウ氏に話を聞きました。彼女はキリスト教福音派でもあります。

チョウ　私は大統領選当日には、アメリカが内戦状態になると信じています。

町山　本当ですか？

チョウ　ですから、アメリカにいる皆さんは3ヶ月分の食糧と水の確保を。

町山　え、3ヶ月も？

チョウ　1ヶ月から3ヶ月です。トイレットペーパーの備蓄も忘れずに。

町山　銃は必要？　買うべきですか？

チョウ　あなたには銃を持つ権利があります。持つべきです。私も持っています。202

0年は生きるか死ぬかです。神と悪魔との戦争が始まって、神が再びアメリカに戻ってくる。その結果、悪魔を崇拝する人たちは消え失せます。

町山　民主党が悪魔ということですか？

チョウ　イエス。その通り。なぜなら民主党は税金を人工妊娠中絶に使いますし、邪悪なブラック・ライブズ・マターの暴動を支援しますし、放火活動をする極左団体を支援しています。民主党は、反キリストなんです。

町山　あなたはQアノン信者ですか？

チョウ　Qアノンは腐敗している者を教えてくれます。ジョー・バイデンも腐敗しています。

町山　では、トランプ氏は？

チョウ　彼は神に選ばれた存在です。

町山　彼の背中に翼が見えたり、頭の上に光の輪が見えたりしますか？

チョウ　先日、私はホワイトハウスに行って、トランプ大統領の演説を聴きました。ふと空を見上げると天使が見えました。天使がホワイトハウスを守っていました。ほら、写真も撮りましたよ。

町山　エレンさんが見せてくれた写真は、雲の形がちょっと天使みたいに見えるかなーって感じでした。彼女が、この選挙は神と悪魔の戦争だと言った時、僕はすごく悲しい気持ちになったんです。意見が違うだけの人を悪魔だと思い込むなんて。いわゆるデモナイゼーション（敵対する人を悪魔と考えること）ですね。そうなると、後は戦争しかない。ここまでアメリカの分断が進んでしまったんです。

藤谷　大統領自身が煽っていたからですね。

★Qアノンが起こした連邦議会襲撃事件

Qアノン信者たちは、大統領選投票日の3週間前の10月17日にトランプ大統領（当時）の支持者集会に、ついにQの「正体」、JFKジュニアが現れてトランプ支持を表明して、彼を選挙に勝たせると言っていました。

もちろん、JFKジュニアは現れず、選挙はトランプ氏の敗北に終わりました。

その後もQアノンは、「選挙結果がひっくり返される」「トランプが戒厳令を出す」「トランプを支持する軍部のクーデターが起こる」などと予言をし続けましたが、何1つとして実現しませんでした。

そして2021年1月6日、バイデン氏勝利の認定を阻止すべく、数千人のトランプ支持者が連邦議会議事堂に乱入しました。襲撃犯の多くがQのマークの入ったシャツを着て、Qマークの旗を掲げていました。中でも、半裸にバッファローの毛皮をかぶったジェイコブ・チャンスリー氏は自らを「Qアノン・シャーマン」と呼び、カメラに向かって雄叫びを上げました。

1月20日のバイデン大統領就任式の際にも、Qアノンは、それをひっくり返してトランプ氏が真の大統領に就任する、と予言しましたが、何も起きませんでした。3月4日にも、8月13日にもQアノンはトランプ氏の大統領就任を予言しましたが、何も起こっていません。それでも、今なお、Qアノン信者は絶えません。

2021年3月、HBOテレビがドキュメンタリー『Q:Into the Storm』を放映しました。そこでは、匿名掲示板8chanを運営するジム・ワトキンス、ロン・ワトキンス父子に取材し、彼らこそが投稿者Qの正体なのだ、と指摘します。ワトキンス父子自身がこれに明確に反論していないので、事実であることを認めたと思われています。

しかし、正体の暴露は、Qアノン信者に何も影響を与えませんでした。興味深いのは、Qアノン信者の多くが「Qアノンが誰なのかは重要でない」と言っている点です。彼らは既に投稿者としてのQアノンと無関係に、不正選挙や新型コロナ・ワクチンなど、あらゆる陰謀論を内包するコミュニティになっています。2022年2月に発表された、PRRI（Public Religion Research Institute／公共宗教研究所）の調査によると、アメリカ国民の4400万人以上、共和党支持者の4分の1がQアノンを信じているということになります。

★★ アメリカの今を知るキーワード ★★

Qアノン

アメリカの極右派が主張している陰謀論とその主張に基づく政治運動。

ディープ・ステート

Qアノンが主張するアメリカの政財界を操る闇の組織。トランプ氏の選挙参謀スティーブン・バノン氏が選挙で勝つために用いたことばでもある。

バーサーズ

バラク・オバマ氏にBirth Certificate（出生証明書）の提示を求める者たち。

ピザゲート事件

2016年12月４日、陰謀論を信じた男がピザ店にライフルを持って押し入り、発砲した。

アレックス・ジョーンズ

ブロガー。『インフォ・ウォーズ（情報戦争）』というネット番組を主宰する。

第8章

★★★★★★★★★★

趣味志向、行動、投票先……すべては監視されている？

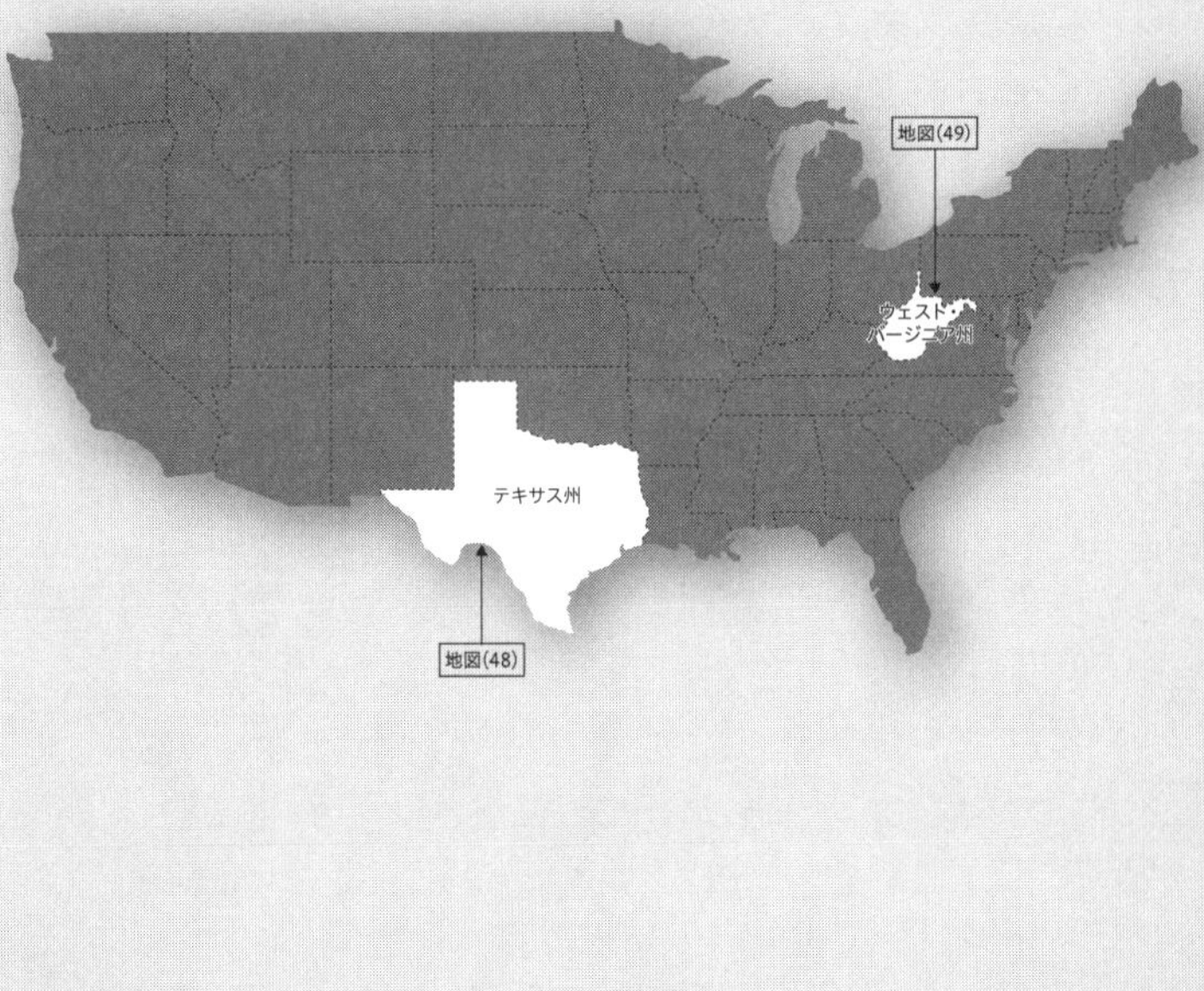

2013年、元CIA局員のエドワード・スノーデンが行った衝撃的な「暴露」を覚えていらっしゃる方は多いと思います。それは、アメリカの政府機関で、個人がネット上で行ったありとあらゆる行動を、すべて記録または保存することができる「大量監視システム」が、運用されている、というものでした。

この事件から約10年経った現在、このネット上の「大量監視システム」が新たな社会問題を生み出しています。それが「監視資本主義」です。

これは、企業がネット上で個人情報を集めることで、ひとりひとりの趣味志向や行動、消費パターンなどを分析・予測し購買へと誘導するものです。

この機能は当初、マーケティングへ使うことを目的に開発されましたが、今や政治的なプロパガンダにも利用されています。

2016年のアメリカ大統領選挙でのトランプ氏当選も、この「大量監視システム」がもたらした1つの果実とも言われています。現代のアメリカ社会の深刻な「分断」を招く一因となっている、「監視資本主義」とは一体どのようなものでしょうか？

★ネットで個人情報はダダ漏れ！

町山 ネットを通じて、世界の人々は知らない間に個人情報を取られ、監視され、そればかりかアメリカの大統領選まで操られていた、という問題を取り上げます。まずは、Facebookの件から。

藤谷 今はＭＥＴＡという社名ですね。

町山 新規の事業を強調しながら社名変更を発表しました。そうせざるをえないほど、ここ何年かで評判を落としたんです。まず、「いいね」のデータが流出しました。２０１８年３月、５０００万人以上の個人データが流出したと報じられ、４月には最大で約８７００万人にのぼると発表されました。同月、ＣＥＯのマーク・ザッカーバーグ氏は２日間にわたって連邦議会に呼ばれ、公聴会でデータ流出に関する管理責任について謝罪しました。

藤谷 ニュースで見ました。「いいね」の情報が流出したということはわかるんです。たとえばAmazonなんかでショッピングしていると、個人的な嗜好が読み取られている、というのは理解できます。でも、なぜ、ザッカーバーグ氏が連邦議会に呼ばれて謝罪しなければいけないのか、よくわからないんです。

町山 議員たちもほとんどわかっていませんでしたね。彼らの質問は「Facebookの利用規約はクソだ！」とか「利用者から料金を取らずにどうビジネスを成立させているのか？」といった、「そこじゃない」質問ばかりで、ザッカーバーグ氏も苦笑いしていました。誰も「いいね」流出の危険性がわかってなかったんです。

藤谷 どう危険なんですか？

町山 まず、Facebookは「いいね」をユーザーにつけてもらって、それを基にユーザーの趣味志向のデータを取って、ユーザーの嗜好に合わせ、企業が出した広告をお客さんに配るビジネスをしています。これはターゲット・マーケティングなどと呼ばれる方法で、TwitterやAmazonも同様のことをしています。

マイケル・コジンスキー ところが、これは大変なことだと言い始めた人がいます。マイケル・コジンスキー博士というサイコメトリクス（心理計量学）の学者です。

彼は1982年ポーランドのワルシャワで生まれて、アメリカに渡り、その後、スタンフォード大学の組織行動学の准教授になりました。そのコジンスキー博士がイギリスのケンブリッジ大学の博士課程に在籍中だった2012年、論文で、SNSにつける「いいね」で何もかもわかってしまう、と警告したんです。

1人の人がつけた「いいね」を68個集めれば、本人に自覚がなくても、その人の人種、政治的傾向、性的指向、要するに女性を好きか、あるいは男性を好きかなどについて、9割の確率で当てることができる、と証明したんです。

藤谷 本人に自覚がなくても？

町山 はい。ちなみに政治的傾向については、一度も投票したことがない、まったく選挙に興味がない人でも、「いいね」を68個集めて解析すると、その人がもし投票したらどこに投票するかまで推測できるんです。

藤谷 たしかに危険な気もします。

町山 この機能は本来、マーケティングのために作られました。ユーザーの嗜好から消費傾向を推測して、欲しがる可能性が高い商品の広告を送るためです。しかし、それはショッピングだけじゃなくて、プライバシーである性的指向も知られてしまうし、政治的なプロパガンダに利用することもできる、とコジンスキー博士が警告したんです。

町山 心理学的な分析によるものですか？

藤谷 違います。サイコメトリクスというのは、統計学的な解析です。膨大な「いいね」と消費傾向、またはネットの利用傾向を集めて統計を取るわけです。たとえば仮に、キュウリとバイクと海が好きな人は赤い服が好きな確率が8割という統計が取れたとします。なぜ、そうなのか心理的な関連性は説明できません。でも、キュウリとバイクと海が好きな人には赤い服の広告を送ったほうがいいとわかるわけです。

町山 ピンと来てないと思います、みんな。

藤谷 だからこそコジンスキー博士は、みんな気づいてないうちに個人的な知られたくないこと、本人の知らないことまで把握されていますよ、と言い、それだけではなくて、政治的に人を操るサイ・オップ（心理作戦）にも利用されますよ、と警告したんです。

ところが、これを利用すれば、ビジネスチャンスだと思ったのが、同じケンブリッジ大学の研究生だったアレクサンドル・コーガン氏です。彼も1985年生まれで若いですね。このコーガン氏は、コジンスキー氏に、「一緒に商売しましょう」と言ってきたんです。

藤谷 データ解析システムでビジネスをしよう、と持ちかけたわけですね。

町山 コジンスキー氏は断りました。でも、コーガン氏はコジンスキー氏の助手を誘い込んでシステムの横取りに成功します。そしてコーガン氏は、Facebook上に「マイ・デジタル・ライフ（My Digital Life）」という性格診断アプリを載せました。その手のアンケートアプリって、いっぱいありますよね。あなたの好きな色を教えてくださいとか。たいていの場合、こういうものは、個人データを集めるためにあるんですよ。単なる遊びじゃないんです。その性格診断アプリをパソコンやスマホにダウンロードした人から、8700万人以上の「いいね」データを「吸い取り」、それを**ケンブリッジ・アナリティカ**という会社に売り渡しました。80万ドルで。

藤谷 80万ドル！　それはケンブリッジ大学の関連企業ですか？

町山 関係ありそうな社名ですけど、無関係のリサーチ会社です。東大と関係ない東大株式会社みたいなものです。
そこでケンブリッジ・アナリティカは、性格診断テストのアプリをダウンロードした人だけでなく、その人たちと友達で繋がっている人たちの「いいね」データまで取ったんです。

藤谷 Facebookの繋がっていく機能を利用して。

町山 本人たちの承諾なしで、です。もちろん違法ですから、それを知ったFacebookはさすがにケンブリッジ・アナリティカにデータを消すよう命じました。ケンブリッジ・アナリティカ側は消したと言っていますが。
彼らの言い分をそのまま信じてしまうのも、ちょっとどうかと思いますけど、ザッカーバーグ氏は公聴会でも「データを削除したという報告を受け、一件落着と考えました。でも、もっと確認すべきでした」と謝罪しました。

★政治に利用された「いいね」データ

町山 では、ケンブリッジ・アナリティカは取得した個人データを利用して何をしたか？

藤谷 まずイギリスのEU離脱、通称ブレグジット（Brexit）の是非を問う国民投票（2016年6月）の前に、イギリスのFacebookユーザーで離脱に賛成する人を増やしたんです。

町山 どうやって？

藤谷 移民反対の傾向のある人たちに、「EUから離脱しないと移民が増えて大変なことになるぞ」というニュースを送りつけたんです。

町山 そういうニュースばかり毎日見ていたら、心理操作されてしまいますね。

藤谷 そして、ブレグジットの次に、ケンブリッジ・アナリティカが上げた成果だと言われているのが、2016年のアメリカ大統領選挙でのトランプ氏当選なんです。

町山 なんと。それは、なぜ発覚したんですか？

藤谷 ケンブリッジ・アナリティカのCEO、アレクサンダー・ニックス氏がイギリスのテレビ局チャンネル4のインタビューで成果として自慢したからです。

町山 なるほど。でも、そもそも、このケンブリッジ・アナリティカという会社はどんな会社なんですか？

藤谷 イギリスの企業ですが、設立資金はロバート・マーサーというアメリカの大富豪から出たことが判明しています。ヘッジファンドの大物ですが、1970年代にはIBMのコンピュータ技師としてデータ解析をやっていた人です。

ロバート・マーサー氏はトランプ氏を応援して、多額の選挙資金を提供しています。共和党の予備選では、マーサー氏はテキサス州※地図(48)の上院議員テッド・クルーズ氏を支援していて、ケンブリッジ・アナリティカはターゲットとする有権者の情報をクルーズ氏の選挙対策スタッフに提供していたんですが、予備選をトランプ氏が勝ち抜いて共和党の大統領候補として指名を勝ち取ると、マーサー氏もケンブリッジ・アナリティカもトランプ陣営につきました。

ケンブリッジ・アナリティカの出資者ロバート・マーサー氏は、セキュア・アメリカ・ナウという団体にも200万ドル出資しています。それは、文字通り「アメリカを安全に、ナウ」という、移民排斥を主張する政治団体なんですが、その広告を、ケンブリッジ・アナリティカで解析した保守的な傾向の人にばらまいたんです。

藤谷　「移民を追い出せ」と?

町山　そんなにストレートじゃありません。非常に美しい観光広告のような映像でした。でも、それはイスラム教徒に支配されたフランスやアメリカの未来の姿なんです。

女性たちがみんな顔や体を覆い隠す布、ヒジャブをつけているという。つまり、「このままだとアメリカはイスラム教徒に乗っ取られますよ」と恐怖を煽るCMです。これを流して、イスラム教徒の入国を厳しく制限すると主張するトランプ氏への票を集めようとしたんです。

★プロパガンダ広告でアメリカ世論をかく乱させたロシア

町山　ザッカーバーグ氏が議会に呼び出された理由は、それだけではありません。2017年9月、Facebookはロシアから知らないうちに2億円の広告料をもらっていたんです。ロシアの広告会社が、3000もの細かい広告をFacebookに載せていたんです。1本10万円くらいで。

たとえば、アメリカン・メイドという団体のスポンサー記事はティーパーティーニュースと書いてあって、保守系団体のニュースのように見えます。見出しは「Make America Great Again（アメリカ合衆国を再び偉大な国に）」とか「Join Florida Trump Rallies（フロリダのトランプ支持者集会に参加しよう）」って。これアメリカ人が作っているように見えるでしょう？　そうではなくて、実はロシア人が作っていたんです。

藤谷　ロシアは、トランプ氏に勝たせたかったということですか？

町山　一見そのように見えますね。でも、ロシアは、他にも広告を出していたんです。左派の若者から人気があるバーニー・サンダース候補を応援する広告で「Born Liberal（リベラルに生まれて）」とあります。これもロシア人が作っているんです。

藤谷　一体何がしたいんですか？　アメリカの世論をかく乱させたい？

町山　そうです。特にバーニー・サンダース氏は２０１６年の大統領選挙で民主党の予備選挙に立候補して民主党主流派のヒラリー・クリントン氏と最後まで闘った人です。もともとは民主党員ではありません。

トランプ氏自身も共和党員ではないのに予備選に出て、共和党主流派に闘いを挑んだわけです。で、トランプ氏は主流派よりもぐっと右寄りで、サンダース氏は民主党主流派よりもぐっと左寄り。ロシアは、その2人とも応援して、民主共和を分裂させ、さらにはアメリカを左右に分裂させたかった。だから、少しでも右寄りの人にトランプ氏支持の広告を、少しでも左寄りの人にサンダース氏支持の広告を送ったんです。

藤谷 それをするのにはFacebookが一番効果的な場所だったわけですね。

町山 そのターゲティング、つまり誰にどの広告を送るかを決めるのに、ケンブリッジ・アナリティカが取得したFacebookのデータが使われた、と考えられています。

藤谷 それをロシア政府はケンブリッジ・アナリティカから買ったんですか？

町山 この件には、コーガン氏が関与していると言われています。彼、ロシア人なんですよ。東欧のモルドバ共和国出身で。

藤谷 本当にこの手法でアメリカの大統領選に介入したんですか？

町山 ２０１８年3月17日のニューヨーク・タイムズ紙に内部告発が掲載されました。告発したのは、ケンブリッジ・アナリティカでデータ分析をしていたクリストファー・ワイリー氏です。それに、ケンブリッジ・アナリティカの副社長は、トランプ氏の選挙参謀だったスティーブン・バノン氏なんですよ。

藤谷 怖くなってきました。それで、ケンブリッジ・アナリティカに出資したロバート・マーサー氏はロシアと関係あるんですか？

町山 まさに、そこがポイントです。２０１８年4月10日の公聴会でザッカーバーグ氏はその辺を追及されるべきだったんです。しかし、議員たちは全然追及しなかった。ウェスト・バージニア州※地図㊾のシェリー・ムーア・キャピート議員なんて、ザッカーバーグ氏に「うちの州に光ファイバーを設置してね」とか言っていますし。ネットプロバイダーじゃないんだから。

藤谷 Facebookが何かわかってないですね。

町山 ロバート・マーサー氏の名前も出ませんでした。これでは、何のために呼んだのかわかりません。

藤谷 ２日間、何の話してたんでしょうね？

★ロシアのトロール農場のＳＮＳ工作

町山 ただ、アメリカのＳＮＳに対するロシア政府による工作が始まったのは、それよりも２年前、２０１４年からでした。その年、ロシアはウクライナに軍事侵攻して、クリミア半島を併合したんですが、アメリカのニュースサイトやＳＮＳに、ウクライナ侵攻を正当化するコメントを組織的に書き込んだんです。当時、ロシアのハッカーが政府の機密文書を入手したことで発覚しました。

藤谷 それに対してアメリカは何もしてないんですか？

町山 ＦＢＩやＣＩＡは調査を続け、いろいろ判明しています。２０１９年３月に元ＦＢＩ長官のロバート・ミューラー氏が特別検察官として調査したことが「ミューラー報告書」にまとめられて発表されています。ネット工作をしたのは、ロシアのサンクトペテルブルグにあるＩＲＡ（インターネット・リサーチ・エージェンシー）だとわかっています。
そこで１０００人以上が世界各国のネットに広告を送ったり、書き込みをしたりしているので「トロール農場」と呼ばれています。

藤谷 たとえば、どんな？

町山 ２０１５年頃、Twitterで何万人ものフォロワーを集めた「ジェナ・エイブラムス」という女性がいました、ユダヤ系のインテリ女性の立場からフェミニズムに関する意見をずっと言い続けていたんです。「女の人は腋毛《わきげ》を剃るべきかどうか」論争とかを仕かけてバズらせたり。

藤谷 腋毛と政治は無関係ですね。

町山 ところが、大統領選挙が近くなってくるにつれて、ジェナ氏はトランプ氏をめちゃくちゃ支持したり、イスラム教徒を追い出せ、みたいなことを書いたりし始めたんです。それで今まで彼女のことを普通に楽しいツイートをする人だと思ってフォローしていた人たちが、次第にトランプ氏支持の方向へ引きずられていくという現象が起こったんです。

藤谷 もちろん、それで離れた人もいるんでしょうけれども。

町山 楽しいツイートが好きでフォローしていた人には、ジェナ氏がトランプ氏を応援すれば「トランプっていい人かもしれない」などと影響された人も多いでしょうね。

藤谷 するとある日突然、プーチン大統領の上半身ヌードの写真を載せたんです。プーチンさん、ナルシストだから自分のカレンダーを作ってるんですよ。

町山 当時、日本でも発売されて一部では人気だったみたいですね。

藤谷 その写真を載せて「なんて素敵な大統領かしら」ってツイートしたから、なんかおかしいぞって。それでTwitter社が調べた結果、「ジェナ・エイブラムス」は実在しない人物、ロシア政府が作ったサイバー上の人格だったんです。

藤谷 すごいですね。他にもあるんじゃないですか？

町山　はい。これは氷山の一角にすぎません。ロシアは他にもアメリカ人の心を操作するために、アメリカ人のふりをした架空のアカウントを、2015年からずっとアメリカ中のいろんなSNSに送り込んでいたんです。日本にもあるでしょうね。

★AIが招く社会の大分断

町山　この後、FBIやCIA、それにFacebookやTwitter、Googleなどはサイバーセキュリティを強化したので、2020年の大統領選にはロシアは介入していないと言われています。しかし、この時既にインターネットのシステム自体が勝手にデマや陰謀論を拡大するようになっていました。
ネット上のAI（人工知能）が自動的に拡大するんです。2021年1月6日、トランプ支持者らによる連邦議会議事堂への乱入事件がありましたが、乱入した暴徒たちは「大統領選挙で本当に勝ったのはトランプだ」と信じていました。ネットで見た情報のせいで。

藤谷　「大統領選挙で不正があった」という誤った情報が拡散された結果ですね。

町山　また、アメリカでワクチン接種がなかなか広がらなかったのも、ネットで反ワクチンの陰謀論が広がったせいでした。

こういう陰謀論ばかりがインターネットで広がって、正しい情報が拡散しにくい。かつてのように、新聞やテレビが圧倒的な力を持っていた時代ではなくなりましたから。今は、個々人で事実が違う時代です。**ポスト・トゥルース（真実を超えた）時代**と呼ばれています。

藤谷　真実が1つではない時代ですね。

町山　それを加速させているのが、インターネットのAI（人工知能）による誘導なんです。たとえばインターネットで「ワクチン」を検索した時、リストの下のほうまでずっとたどっていって、怖い陰謀論が書いてあるのを見つけてしまったとします。それをクリックして読むと、次から「ワクチン」で検索すると陰謀論が上のほうに上がってくる仕組みになっているんですよ。検索サイトって。

藤谷　ネットで検索すると、上の方に出てくるものは一番ヒット数が多い、多くの人に一番検索されて一番信じられているものが出てきてるものだと思っていたんですけど、違うんですか？

町山　たしかに最初はそうでした。しかし今では、それぞれのユーザーの興味によって、検索結果も、貼りつけられる広告も変わってくるアルゴリズムがＡＩにプログラムされています。もともとは、これもターゲット・マーケティングのためです。

藤谷　ネットで何か検索したり、ショッピングしたりすると、その関連商品の広告が上がってくる仕組みですね。

町山　そうそう。ユーザーの好みに従って商品をおすすめする機能ですが、ＡＩは商品だけでなく、あらゆる物事について機能してしまうんです。

たとえば２０２０年の大統領選挙に関して、それが不正だったと主張する陰謀論YouTubeチャンネルなんかを見始めると、次からは、陰謀論的な情報ばかりが上がってきて、それを検証したり否定したりする情報は目にとまりにくくなってしまうんです。

藤谷　つまり、自分で努力して中立な意見もしくは反対の意見も読もうと努力しないといけないってことですね。

町山　そうなんです。

藤谷　ネットで買い物していると、知らない間に自分の思想すら作り変えられていく危険性があるんですね。

★アルゴリズム・プログラマーの告発

GoogleやFacebookにそのアルゴリズムを組み込んだプログラマーたちは、それが政治についても機能することを知って、告発を始めました。その1人であるギヨーム・シャスロット氏に話を聞いてみました。

ギヨーム・シャスロット氏は2010年からおよそ3年間、GoogleでYouTubeのプロジェクトに携わり、現在はインターネットのＡＩによる誘導に対して警鐘を鳴らしています。

町山　YouTubeでは、どんな仕事をされていたんですか？

シャスロット　「おすすめ動画」の設定に関わっていました。YouTubeの画面の右側に表示される動画です。

町山　つまり「次に見るべき」動画ですね。なぜ、YouTubeを離れたんですか？

シャスロット　YouTubeのＡＩによるおすすめの仕方に偏りがあることに気づいたからで

す。それによってユーザーは誘導されてしまい、自分で多様な動画を発見できなくなります。

特にユーザーをひきつけるのは過激な動画です。人々が喧嘩をしたり、争ったり、殺し合うような刺激的な動画は、ユーザーにそんな映像をもっと見たいと思わせるんです。

町山　なるほど、中毒性があるわけですね。しかし、YouTubeは動画の内容をＡＩに任せきりなんですか？

シャスロット　はい。そのため２０１６年の大統領選挙の直前は「トランプ」というワードで検索すると、おすすめに上がってくる動画はおよそ90％の割合で極右的な内容の動画に誘導されるといった状況でした。

町山　２０２１年に起きた連邦議会議事堂への乱入事件もアルゴリズムの結果でしょうか？

シャスロット　ええ。あの乱入も右寄りのユーザーに内戦を奨励する誘導をした結果です。

町山　これからインターネットはどうなると思いますか？

シャスロット　ＡＩは既にネットの情報をコントロールしています。今後ＡＩが人間社会にどのような影響を与えるかまったくわかっていません。誰もAIをよく理解していないからです。AIは非常に複雑で、プログラムに関わった人たちでさえ、なぜAIがこれほど多くの陰謀論の動画をおすすめしたのかわかっていません。その危険性を世界全体に伝える必要があります。自分だけでなく他の人たち、両親や年上の世代の人たちも陰謀論に陥らないよう守る必要があります。

★監視資本主義の正体

シャスロット氏によるとAIは、ワクチンに超小型ロボットが入っているとか、民主党員たちが子どもをさらって生き血を飲んでいるなどといった「刺激的なコンテンツ」を積極的に推してくる。それで人々が次々と陰謀論に煽られ、アメリカは政治的に左右に極端に分断していきました。

それを「監視資本主義」と名づけ、批判しているのが、ハーバード大学のショシャナ・ズボフ教授です。人々のネットにおける行動データが知らないうちにIT企業に解析され、様々な企業に売り出されていると指摘しています。

町山　あなたが作った「監視資本主義」という言葉の定義について、あらためて教えてください。

ズボフ　18世紀から20世紀の産業資本主義は、自然から手に入れたものを商品化したりしていました。自然の土地を開拓して不動産に変えたり、天然の石油を採掘したりしてエネルギーとして手に入れてきました。ところが「監視資本主義」は人間の行動データを商品として扱います。つまり、人々の個人的な経験や行動データを無断で集めて、様々な企業に売るんです。

町山　ネットで検索したり、動画を見たりしたデータ、それに何かを買った時の個人情報などが密かに売られているということですね。

ズボフ　それだけではありません。先日Amazonの顔認証システムに関するプレスリリースがありました。そこで発表された新たな機能は、人の表情から「恐怖」などの感情を検出できるというものでした。既に多くの感情を検出しているそうです。喜び、悲しみ、怒り、混乱、嫌悪感などです。

町山　その表情データを何に使うんですか？

ズボフ　人間の顔には数百もの筋肉があって、非常に多彩な表情を作ります。その表情を細かく解析すると感情が読み取れます。感情のデータをＡＩで分析すれば、その人の行動を予測できます。表情を見れば、その人が欲する情報をその人よりも先回りして提示できるわけです。

町山　僕の表情のデータも既に取られているんですか？

ズボフ　あなたの写真がネット上、特にFacebookやTwitter、Wikipediaなどに載っていれば取られているでしょうね。

町山　それを禁止する規則や法律はないんですか？

ズボフ　残念ながら、現状ではありません。私たちはデジタル時代に必要な権利や法律や制度を持たずにここまで来てしまいました。今こそ何が違法であるか明らかにして、どうすれば「監視資本主義」を遮断することができるかを考えなければなりません。

ズボフ教授は、個人情報が知らないうちに商品として売られている状況はおかしいと主張しています。顔のデータが取られているのは怖いです。人々の表情の微妙な変化、肉眼ではわからない、ＡＩだけが感知できる微妙な変化から、その人の感情を読み取ろうとしているそうです。

たとえば店の監視カメラで、これから強盗しようとしている人をその表情から予知して未然に逮捕することができます。これが進めば、ひょっとすると究極的には反体制かどうか顔だけで判断して逮捕されてしまう社会が来るかもしれません。

また、ＡＩが集めた顔と表情のデータで、**ディープ・フェイク（捏造映像）**が進化しています。２０１９年６月、ザッカーバーグ氏が「人々の個人データを密かに集めてコントロールしている男がいます」と語るビデオがネットに流れました。「私はスペクターに感謝しています」――スペクターとは００７ジェームズ・ボンドの宿敵で世界征服を企む悪の秘密結社。それは、ザッカーバーグ氏はスペクターの手先だと告白している映像なのです。

もちろん、それはコンピュータで作られたザッカーバーグ氏の偽物、いわゆるディープ・フェイクと呼ばれる映像です。しかし、もう誰にも嘘か本当か判別できないほど精巧に作られていました。

これを使えば簡単に、誰かの失言やスキャンダルを捏造することができてしまう。ディープ・フェイクを使って誰かになりすまして、詐欺をすることもできる。

さらにＡＩは、大量に集めた顔データを使って、この世に存在しない人物を捏造しています。生き生きとした表情で陰謀論を語るそのYouTuberが本当に実在するかどうか、視聴者にはわからないんです。

ズボフ教授は、「この監視資本主義社会は、既に個人が戦うことが不可能なレベルになっているので、法律で規制するしかないのではないか」と言っています。

★大手ネット企業の責任と法律の問題

２０２１年３月25日、ＩＴ最大手３社のＣＥＯが議会の公聴会に召喚されました。Googleのスンダー・ピチャイ氏、Facebookのマーク・ザッカーバーグ氏、Twitterのジャック・ドーシー氏です。議会乱入の原因を作ったとして追及されたんです。

ザッカーバーグ氏は、「我が社は捜査機関と協力して約３万人態勢でテロリズムに対して陰謀論などの拡散防止に努めています」と答えましたが、「しかしすべてを防止することは不可能です」などと言わざるをえませんでした。そして「だから議事堂乱入は、扇動したトランプ氏と従った人々に責任があります」と言いました。我々が責任を取らなければばならないのは理不尽だ、ということです。

そもそも、ＳＮＳの運営企業は投稿について責任を取らなくていいんです。１９９６年に成立したアメリカ通信品位法（ＣＤＡ／Communications Decency Act）第２３０条により、内容について法的責任を原則、問われないと免責されています。この法律のおかげでインターネットは自由な発展を遂げたと言われていますが、政治家からはこの法律の見直しが求められています。民主党からは「誤情報放置だ」、共和党からは「保守派の発言を封じ込めている」という批判です。

この公聴会で明確になったのは、ＩＴ大手３社も、自分たちが作り上げてしまったネット社会をコントロールできない、ということ。

ただ商品を売るため、視聴者をつかむためにプログラムされたアルゴリズム、ＡＩが副作用として人々を政治的に過激化させていった。作った側にはそんな意図はなかったのに――まるで映画『ターミネーター』（１９８４年）です。核ミサイルに対する防空システムを作ったら、それが暴走して地球人類を滅ぼそうとする話でしたが、それと同じですよね。

★★ アメリカの今を知るキーワード ★★

監視資本主義

企業がネット上で個人の情報を集め、その趣味志向や行動、消費パターンなどを分析・予測し購買へと誘導すること。

マイケル・コジンスキー

サイコメトリクス（心理計量学）の学者。2012年、SNSにつける「いいね」でその人の何もかもを9割の確率で当てることができると警告した。

ケンブリッジ・アナリティカ

アレクサンドル・コーガン氏がコジンスキー氏のシステムを横取りし開発した個人データを集めるための性格診断アプリを80万ドルで買った会社。

ポスト・トゥルース

客観的な事実よりも感情や個人的な信条によって表されたもののほうが影響力を持ってしまう状況。

ショシャナ・ズボフ

ハーバード大学教授。IT企業が個人のデータを集め続けることを批判し、監視資本主義と命名した。

ディープ・フェイク（捏造映像）

AIが集めた顔と表情のデータを使って、コンピュータで精巧に作られた偽物の映像。

第9章

★ ★ ★ ★ ★ ★ ★ ★ ★ ★

武装集団は最高の愛国者？

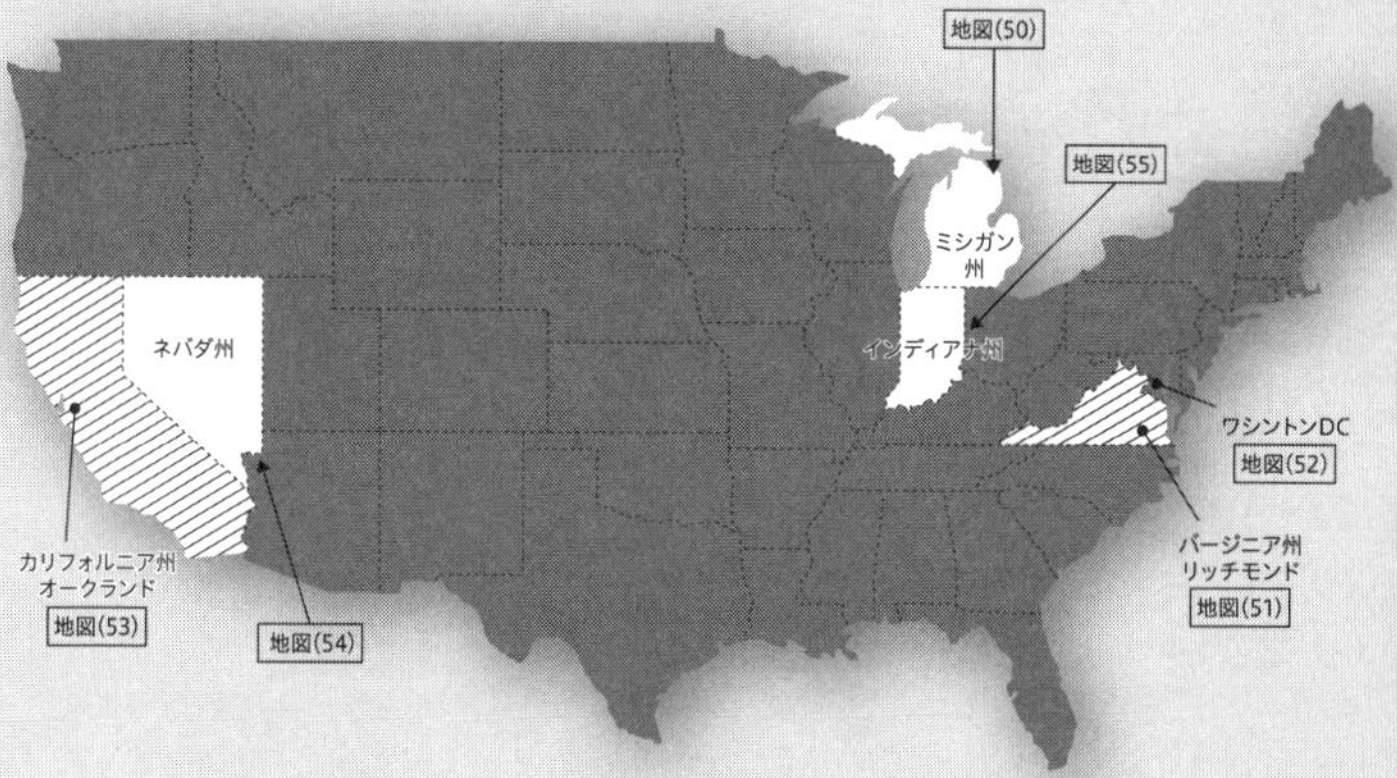

「市民が武装して訓練する」――アメリカ人のように銃を保有し携帯する慣習を持たない日本人にとっては、なかなかイメージしにくいかもしれません。

アメリカでは、市民たちが武装して訓練する「ミリシア（民兵）」の伝統があります。これはアメリカ軍とは別物です。

もともと、アメリカはイギリスの植民地でしたが、市民たちがイギリス政府の圧政に対して武装蜂起して独立した国。国家が成立する前の時代には正規軍もなかったので、市民たちは自主的に軍事訓練をしてミリシアになり、イギリス政府軍と戦ったというわけです。合衆国憲法修正第2条には次のようにあります。

「規律ある民兵は、自由な国家の安全にとって必要であるから、人民が武器を保有しまた携帯する権利は、これを侵してはならない」

建国後、ミリシアは州軍や予備役という形で正規軍の傘下に入りましたが、政府から独立した私設軍としてのミリシアは、１９９０年代に復活。１９９４年にミシガン※地図(50)州で連邦政府への不満を掲げるミシガン・ミリシアが結成され、そのメンバーが１９９５年にオクラホマシティの連邦政府ビルを爆破して、１６８人の死者を出すという事件が発生しました。

この事件以降、全米に民間武装集団が増加していきました。彼らは普段は労働者として働きながら、日曜日になると森や砂漠でキャンプして、射撃や戦闘訓練をします。

2009年にオバマ氏が大統領に就任すると、黒人大統領に反発する白人至上主義者や、銃規制を恐れるミリシアの軍事訓練が活発化しました。

そして、2016年に銃所持の権利を守るトランプ氏が大統領に決まると、お墨つきをもらったように、武装集団が激増します。今後、ミリシアは一体どこへ向かうのでしょうか?

★武装市民2万人がバージニアに殺到

町山 2020年1月20日、バージニアの州都リッチモンドの州議会議事堂に銃で武装した2万人が殺到しました。※地図(51)
その背景には、バージニア州での銃規制強化があります。バージニア州は、政治的にはずっと保守的で、銃の規制も緩かったんですが、都市部が経済的に潤いホワイトカラーや非白人が次第に増えてきたことで、民主党が州議会で多数派になり、州知事も民主党員になった。その結果、銃を規制する法案が通過しました。法案の内容は、次のようなものです。

1つ目が「無差別乱射を防ぐためにマガジン（弾倉）に12発以上入らないようにする」というもの。2つ目が「銃を買うのは月に1挺だけにする」というもの。そして3つ目が「レッド・フラッグ法」です。これは家族や同僚、法務執行機関、精神科医などが、自分や他の人々に危害を加えそうな人から銃器を強制的に押収できる法律です。これは既に、カリフォルニア州など19の州とワシントン※地図(52)DCでは導入されています。

藤谷 なるほど。銃乱射事件の防止のために重要な規制法ですね。

★民兵と愛国心

これら3つの州法案をバージニア州で実施しようとしたところ、当時のトランプ大統領が「皆さん、バージニア州で銃を持つ権利が取り上げられようとしています！　バージニアを解放せよ！」とTwitterで呼びかけたものだから、銃を持っている全米のトランプ支持者たちが、バージニアへ集結したんです。私も現地で取材しました。

リッチモンドの州議会議事堂の周囲には、様々なライフルを携え、防弾チョッキ、ヘルメットで完全武装した人々が約2万人も集まり、まるで満員電車の様相です。みんな実弾入りのライフルを背負っているので、それが互いにぶつかり合ってガチャガチャと音がするような状態です。

バージニア州での銃規制法案に反対する
銃所持擁護派の集会に参加した人々

町山　皆さんは民兵ですか？

銃所持擁護派①　そう。

町山　民主党の提案する州法案についてどう思いますか？

銃所持擁護派①　バカげているよ。

銃所持擁護派②　この州法案は違憲です。銃の規制は合衆国憲法修正第2条に反しています。政治の暴走です。

町山　一番の懸念は何ですか？　レッド・フラッグ法？

銃所持擁護派①　全部だね。

町山　何を配っているんですか？

配っている人　友人から預かってきた弾倉を無料で配っています。

町山　何発弾丸が入る弾倉ですか？

バージニアに集結した銃所持擁護派の中には、国家の危機を示す「逆さまの星条旗」を身につける人も

配っている人　30発だっけ？

若者　そうだよ。

町山　30発。新しい州法案が12発以上の弾倉を違法とするからですね。身につけている国旗が逆さまですよ（アメリカでは国家が危機にある際、国旗を上下逆に掲げる）？

配っている人　今日だけだよ。

町山　銃所持の自由が脅かされているから？

配っている人　そうだよ。

他には100連発のドラム弾倉をつけたライフル、1キロ先を狙撃できる50口径の対物ライフルを持った人もいました。そんな銃を持った人が約2万人もひしめき合っているのです。もし、1発でも暴発したら大惨事になったでしょう。

★バージニアの銃規制法案は潰された

町山　あなたが掲げているプラカードは、第3代大統領のトーマス・ジェファーソンの言葉ですね？

ボードを持つ男性　そう。

町山　「国民に武器を持たせよ」と書いてありますね。

ボードを持つ男性　アメリカの建国の精神は、銃を所持し、悪い政治に抵抗することだからね。建国の指導者は、政府と戦うために銃の所持を支持したんだよ。

町山　バージニア州の規制案をどう思いますか？

ボードを持つ男性　すべてに反対だね。

町山　レッド・フラッグ法については？

ボードを持つ男性　アメリカはちょっとした違反でも警察が人を殺すだろ？　警察が捜査令状もなく家に入ってきて、銃を押収する法律は認められない。銃の規制法案は濫用される危険性があるからね。

議事堂敷地内は警察が警護しており、武器は持ち込めません。

町山　持ち込み禁止のリストです。銃、ナイフ、ハサミ、メリケンサック、ヌンチャク(nunchaku)、手裏剣（Throwing stars）は禁止。ダメですよ。ヌンチャクと手裏剣は！

州議事堂前では、厳しい銃規制法案を出した州政府、州知事への抗議演説が行われています。

演説者　ノーサム知事（民主党）に投票した人はいるか？

聴衆 Ｎｏ!!
演説者 なぜ彼は当選できたんだ？　ノーサム知事は今すぐやめるべきだ。今すぐやめろ！
聴衆 今すぐやめろ！　今すぐやめろ！　今すぐやめろ！
演説者 バージニアとアメリカに神のご加護を！　ＵＳＡ！
聴衆 ＵＳＡ！　ＵＳＡ！　ＵＳＡ！　ＵＳＡ！　ＵＳＡ！

最後に、大声で銃規制への反対をアピールしている男性2人組に出会いました。

男性① 銃を手放すな！　政府に銃を奪われたら支配されるぞ！
男性② 誰にも屈服するな！　自由がなくなるぞ！　立ち向かえ！
町山 こんにちは。日本から来ました。
男性② よく来たな！
町山 日本では銃は持てません。どう思いますか？
男性② 銃所持の権利を主張して、自分を犯罪者や政府から守るべきだ。

町山　日本の人たちも銃を持つべき？

男性②　もちろん！　そう思うだろう？

男性①　自分が望む方法で自衛する権利を持つべきだ！

藤谷　この抗議集会によって、銃器規制法案の可決は見送られたんでしょうか。

町山　州議会上院の投票で反対票が勝ったんです。最初は銃の規制に賛成していた民主党議員も反対票に回って。

藤谷　怖かったんでしょうか。

町山　だって、銃を持った約2万人に「規制するんじゃねえ！」って取り囲まれたんですから。ノーサム知事は、2022年の選挙で共和党の候補に敗北し、バージニアの銃規制は幻に終わりました。

★アロハを着た反政府ガンマン、ブーガルー

2020年、コロナ禍の中、警官による黒人殺害に抗議するデモ、ブラック・ライブズ・

マター運動が全米の都市に広がりました。この不安の中、人々は銃や弾丸を手に入れようと銃砲店の前に長い行列を作り、銃の売上は史上最大を記録しました。

この混乱の中から登場したのが「**ブーガルー**」という武装運動です。

町山　2020年5月、うちの近所のオークランド※地図(53)のブラック・ライブズ・マターのデモを取材した帰り、車を停めた場所に戻ろうとしたら、警察がバリケードを張っていて、「警備員が2人撃たれた」と言って、担架に乗せた人を救急車に乗せていました。白いバンが連邦政府ビルの前を通り過ぎながらサイレンサーつきの銃で警備員を射殺して走り去った。犯行に使ったバンが発見されたら、犯人の血で書いた文字が残っていました。それで犯人は捕まりました。血でBOOGと書いてあったので、ブーガルーだとわかったんです。

藤谷　何ですか？　ブーガルーって。

ブーガルー

Lester Graham/Shutterstock.com

町山　銃で武装した人たちなんですが、集団じゃないんです。リーダーもいなくて、フラッシュモブみたいに集まってその場で解散するので、左翼のANTIFA《アンティファ》（反ファシスト勢力）によく似ています。

なぜブーガルーと呼ぶかというと、1984年に『ブレイクダンス』という映画がヒットして、すぐに『ブレイクダンス2　ブーガルビートでT.K.O!』（原題Breakin'2 Electric Boogaloo）という続編が作られたんです。

その続編は興行的には大コケしたので、必要のない続編を『〜2エレクトリック・ブーガルー』と茶化すようになりました。そこから、『南北戦争2エレクトリック・ブーガルー』という言葉が出て、ブーガルー運動が始まりました。

藤谷　南北戦争の続編？

町山　リンカーン大統領（当時）の奴隷制廃止に反対して南部の州が南北戦争を起こしたように、また政府に対して内戦を起こそう、ということです。

当然、FBIからはテロリスト扱いされます。だから彼らは4chanなどの匿名掲示板で、暗号を使って情報交換するんです。ブーガルーという言葉を使うともうヤバい、ということで、語感が似ているブルー・イグルーと言い換えたり。

イグルーはイヌイットの氷の家です。彼らはイグルーのワッペンをしていることが多いですね。あと、アロハシャツを着てます。

なぜハワイなのかといえば、やはりブーガルーとの語呂合わせでビッグ・ルアウという暗号を使うからです。

ルアウというのはハワイのパーティー。だからアロハシャツを着る。軍服や防弾チョッキと合わせて着て、銃を持ってデモに参加します。

藤谷 目立ちますね。

町山 そうですね。ブーガルーはANTIFAと同じで、その服装以外に絆となるものが何もないんです。バージニアの銃規制に抗議して集まった約2万人の中にも、アロハシャツを着たブーガルーがいました。

2020年6月から9月にかけて、FBIは、11月の大統領選にテロを起こす危険性のあるブーガルー活動家を調査していました。そして10月、ミシガン州でウルヴァリン・ウォッチメンという武装グループを逮捕しました。彼らはブーガルーとミシガン・ミリシアの活動家による集団で、ミシガン州知事のグレッチェン・ホイットマー氏（民主党）を誘拐し、人民裁判にかけようとしていました。

ホイットマー知事は、新型コロナ対策を目的とした厳しい行動制限をトランプ大統領（当時）から激しく批判されていました。知事は「トランプ氏による私への攻撃で私と家族が危険にさらされた」とトランプ氏がテロリストを扇動したと非難しています。

武装右翼団体、オース・キーパーズ

写真：AP/アフロ

そして2021年1月6日、アメリカ連邦議会議事堂に暴徒が乱入。実はこの乱入は、**オース・キーパーズ**という武装右翼団体が詳細な計画を立てていました。1年後の2022年1月、連邦大陪審はオース・キーパーズの指導者スチュワート・ローズ容疑者ら11人を扇動共謀罪で起訴しました。

藤谷　どんな集団なんですか？

町山　2009年3月、元米陸軍空挺部隊のエルマー・スチュアート・ローズ氏によって設立された武装極右団体です。現役・退役の軍人、警察官、消防士など全米に3万人以上のメンバーを擁しています。

藤谷 オース・キーパーズって「誓いを守る者たち」という意味ですね。

町山 合衆国憲法修正第2条の「武器保有権」を守るという意味です。そのためなら、たとえ政府が相手でも戦う。オース・キーパーズは2014年に実際に政府と対決し、勝ちました。

2014年、ネバダ※地図(54)州の牧畜家クリーブン・バンディ氏は、自分の牛たちを国有地で放牧していました。ネバダのような荒野には、誰も住んでいない、使われてもいない広大な国有地があります。放牧業者は国土管理局に使用料を払えば、そこで牛に草を食べさせられます。でも、バンディ氏は何十年も使用料を滞納してきました。そこで、国土管理局は彼の牛を差し押さえて支払いを要求しました。するとバンディ氏は「これは連邦政府の横暴だ。この圧政に立ち向かう者、集まれ！」と呼びかけました。

アメリカには「連邦政府はできる限り小さくあるべきだ」と考える人々がいます。武装グループの多くはこの立場です。彼らは、国家からの可能な限りの自由を求め、「連邦政府は軍隊以外に何も持つべきではない」と考えています。国有地なんか限界まで手放すべきだと思っています。そのため、バンディ氏の呼びかけに賛成して、武装した市民が10

0人くらい集まりましたが、その多くがオース・キーパーズのメンバーでした。

この時、バンディ氏たちは高性能な銃で武装して国土管理局を包囲しました。国土管理局はバンディ氏の牛を解放せざるをえませんでした。

当時はオバマ政権でしたが、トランプ氏はバンディ氏を称賛する発言をしました。そして、大統領になってからは国有地の自然保護区を次々と縮小していきました。これにより、オース・キーパーズがトランプ氏を支持することに繋がったんです。

バンディ・スタンドオフと呼ばれるこの事件で成功体験を得たオース・キーパーズは、2021年1月6日、大統領選挙の結果をひっくり返そうとしました。

★オース・キーパーズは軍人と警察官

オース・キーパーズの創設者エルマー・スチュアート・ローズ氏。アメリカのマスコミの取材は受けないことで有名な彼に、議事堂乱入事件直後にインタビューしました。

ローズ氏は海賊のような眼帯をしていて、ちょっと怖い外見ですが、イエール大学法学院出身の弁護士です。片目は銃の暴発事故で失ったそうです。それでも彼は銃を手放しません。銃は自由の象徴だ、と主張しています。

ローズ 私たちオース・キーパーズは反政府テロ集団ではありません。軍人、警察官、消防士などの公務員が主要メンバーです。現在の副総裁は警察官です。他のメンバーも、過去に公務員だった者が大半です。我々の主なミッションは合衆国憲法を遵守することです。

町山 では、合衆国憲法修正第2条に定義されている「**ミリシア（民兵）**」ということですか？

ローズ そうです。現在、ミリシアというと、森の中で銃を撃ちまくっているテロリスト集団だと思われていますが、憲法に定められたミリシアは、一般市民から組織され、大統領や州知事からの要請があれば、部隊として活動するというものです。我々は、今では形骸化《けいがいか》してしまったこの制度の復活を望んでいます。

町山 いくつかのメディアはオース・キーパーズを反政府グループだと言っていますが。

ローズ そんなことはありません。私たちは憲法に忠実な政府を望む。ただそれだけです。今のこの国でそう望むと「政権への脅威だ」と悪者扱いされてしまう。

町山　オース・キーパーズを白人至上主義やネオナチなどの極右団体と一緒にしているメディアもありますね。

ローズ　うちの副総裁は身長205センチもある黒人の元フットボーラーです。それに私はメキシコ系のクォーターです。私の両親はカリフォルニアの農場で働く移民で、母方はフィリピン系とメキシコ系です。我々を白人至上主義者と言っているのは、ディープ・ステート（128ページ）です。国民を分断するためにそう言っているんです。我々が国の憲法に則した政策、たとえば、国境警備の強化に賛同しただけで、我々を差別主義者と決めつける。マスコミは白人至上主義者だけが、ナショナリズムやアメリカ第一主義を支持していると思わせたいんです。でも、それはまったくの嘘です。

★「憲法を守る」ために議会へ乱入

町山　連邦議会乱入について、オース・キーパーズの3人のメンバーが計画したとして起訴されましたが。

ローズ　それについてはあまり話したくありません。起訴されたジェシカ・ワトキンズ氏とインディアナ州※地図(55)の男性はオース・キーパーズのメンバーでしたが、他の人は違います。

町山　起訴された2人については？

ローズ　あれは冤罪です。

町山　あなたも議事堂の前にいましたよね？

ローズ　ええ。いました。

町山　でも議事堂には入らなかった？

ローズ　ええ。

町山　どうしてですか？　弁護士だから、議事堂内に入るのは違法だと知っていたからでしょうか。

ローズ　良識として、そこは一線を越えませんでした。

町山　極右団体のプラウド・ボーイズや、陰謀論者のQアノンなどとの協力は？

ローズ　正式な提携はありませんが、親しくはしています。彼らが憲法を遵守し、国民の権利を守る意思があれば、我々は友好的関係を保ちますし、時には一緒に活動することもあります。

町山　今のバイデン政権についてどう思いますか？

ローズ　バイデン氏は正当な大統領ではありません。アメリカ全土で票が不正に奪われ、史上初めて非合法な形で偽の大統領が誕生しました。

町山　トランプ氏が主張する不正投票を信じているんですか？

ローズ　不正投票はあったと思います。一部を除いてアメリカのメディアは既に機能しておらず、もはやジャーナリズムとは言えません。彼らはディープ・ステートの計略の一端を担っているのです。あらゆるメディアから私に取材依頼がありますが、すべて断っています。この1週間で取材を受けたのはあなただけです。アメリカのメディアは信用できません。外国メディアのほうが発言の機会をもらえます。悲しいことです。

町山　バイデン政権下で今後どういった活動をしようとお考えでしょうか？

ローズ　我々は、アメリカを再び1つにまとめたいと思っています。それぞれの町や郡で、我々を分断するものを取り除いていきます。合衆国憲法の下に1つになるべきです。今、市民の財産を奪い、盗むために新型コロナがいかに利用されているか、しっかり見極めるべきです。経済が破綻したら、巨大企業が我々の財産をすべて奪っていくでしょう。それは都市部で実際に起こっています。結果として、富と権力がごく

わずかな支配層に集まるようになっているんです。

合衆国憲法の下に国民が1つになるべきだという考え自体はまったくもって正しいんですが、不正選挙の主張やディープ・ステートなどはデマに基づく陰謀論です。

このインタビューの後、ローズ氏も議会乱入を計画していたとして逮捕、起訴されました。議会襲撃のビデオが精査されて判明したんですが、烏合《うごう》の衆でしかない暴徒たちを、うまく指揮して、警備を突破させた「プロ」たちが大勢いました。このインタビューで、ローズ氏自身が言っているように、警察や軍のベテランたちです。「何よりも憲法を守る」と言っている彼らが、憲政の根幹である選挙と憲政の象徴である連邦議会を暴力で踏みにじろうとした事実に、今のアメリカの病理があります。

★★ アメリカの今を知るキーワード ★★

ミリシア（民兵）

普段は労働者や会社員として働きながら、大統領や州知事からの要請があれば、武装部隊として活動するべく、日曜日になると森や砂漠でキャンプして訓練する一般市民。

ブーガルー

集団ではなく、リーダーもなく、SNSでの呼びかけに応じてフラッシュモブのように武装して集まってその場で解散する人々。

ANTIFA

白人至上主義に反対して抗議活動をする人たち。統一された組織はない。差別など現代版ファシズムに反対する人々全般を指す。

オース・キーパーズ

2009年３月、元米陸軍空挺部隊のエルマー・スチュアート・ローズ氏によって設立された武装右翼団体。メンバーは３万人以上いるという。

第10章

★★★★★★★★★★

白人至上主義者は臆病者？

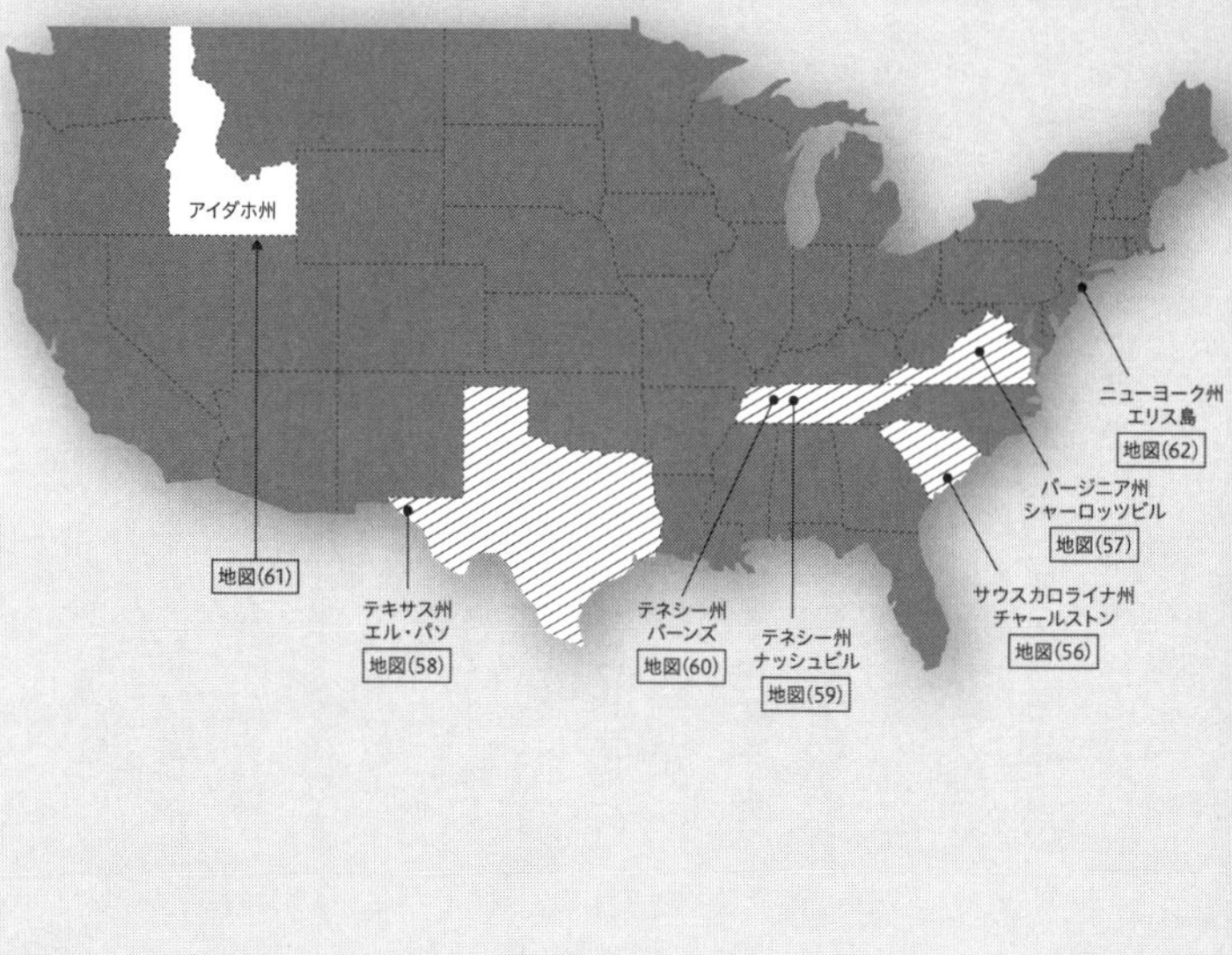

日本に暮らしていると、日常の中で「人種」を意識する機会はあまりありません。一方アメリカでは、「人種のサラダボウル」とも称されるように、多種多様な人種・民族が独自性を保ちながら、アメリカ人として社会を構成しています。そんなアメリカで、ここ10年ほど、白人至上主義者の暴力が活発化しています。

2015年6月17日、サウスカロライナ州※地図(56)チャールストンの黒人教会で、ディラン・ルーフという当時21歳の男が銃を乱射し、黒人9人を殺害。被告は「人種同士の戦争を引き起こしたい」と警察に話し、反省や後悔の念を示さぬまま死刑評決が下されました。

2017年8月12日、バージニア州※地図(57)シャーロッツビルでUnite The Right（右翼大集合）という集会が開かれました。市議会が南軍の将軍リーの銅像を撤去すると決めたからです。リー将軍の銅像は奴隷制度の象徴だからですが、その撤去を許さないKKKやネオナチ（ナチスやヒトラーを信奉する極右派）などの白人至上主義者たちが全米から集まりました。そして、ネオナチを名乗る当時20歳のジェームズ・フィールズ被告が、集会に反対する群衆に車で突っ込み、地元の女性1人が死亡、30人が負傷しました。

また、2019年8月3日、テキサス州のメキシコとの国境の街、エル・パソ※地図(58)の巨大スーパー、ウォルマートで、21歳の青年が無差別に銃撃を始め、22人が死亡、26人が負傷しました。犯人はオンライン掲示板に「ヒスパニックの移民が増えてアメリカを乗っ取ろうとしている。彼らを追い返すために銃撃する」と書き込んでいました。

★白人が少数民族になってしまう！

2018年4月、白人至上主義団体、アメリカン・ルネッサンスの政治集会を取材するため、テネシー州※地図(59)ナッシュビルから車でおよそ1時間離れたバーンズ※地図(60)という小さな町に行きました。

到着した会場前は厳重な警備で物々しい雰囲気です。建物の中に入る前に荷物チェック。さらに許可されたもの以外は撮影しないという誓約書にサイン。会場内には人種問題に関する本が並ぶコーナーも用意されていて、団体を主宰するジャレッド・テイラー氏の著書

『If We Do Nothing』もありました。タイトルは「我々が何もしなければ、白人は負けてしまう」という意味です。白人至上主義者は一体どのようなことを考えているのでしょうか？

町山　どうも、初めまして。

テイラー　（以下、会話はすべて流暢な日本語で）よろしくお願いします。

町山　よろしくお願いします。テイラーさんですね。町山と申します。

テイラー　テネシーまでよくいらっしゃいました。

町山　日本で育ったとのことですが、子どもの頃に好きだったテレビ番組はありますか？

テイラー　私の年代は『隠密剣士』（１９６２年〜１９６５年・ＴＢＳ系）です。

町山　『隠密剣士』！　懐かしいです。日曜19時からＴＢＳでやってましたね。

テイラー　もう、喜んで見てました。一番好きな番組だったんですよ。

町山　忍者時代劇でしたね！　『ウルトラＱ』の前番組で。

怖い人ではなさそうなので、本題へ。彼らはなぜ白人至上主義を主張するのでしょう。

テイラー　今は毎年だいたい100万人の移民がアメリカに来ています。その約90％が白人ではありません。だから、だんだん白人は少数民族になってきているんです。白人が建設した国で、どうして白人が少数民族にならなければいけないのでしょうか。

町山　でも、アメリカの憲法では別に白人の国でなければいけないとは規定されていないですよね？

テイラー　それは規定されていませんけれど、アメリカ合衆国憲法が発効されたのが1788年です。その翌年に最初のコングレス（Congress／連邦議会）があって、この国はどういう国にしようかっていろいろ議論した結果「アメリカの国籍を求める人たちは白人でなければならない（市民になるには合衆国内に2年以上居住すること、白人であることなどが要件）」と法律を立てて可決したんです。（この、非白人に対する移民規制法は）1965年まで続きました。これは憲法にはないですけれども、アメリカの移民制度は、白人を多数派のまま保つ政策だったんだと思います。

話が核心に近づくにつれて、テイラー氏の語気がだんだん強くなっていきます。

【図3】アメリカ国内の人口構成　今後の予測

出典：U.S.Population Projections:2005-2050 Pew Research Center

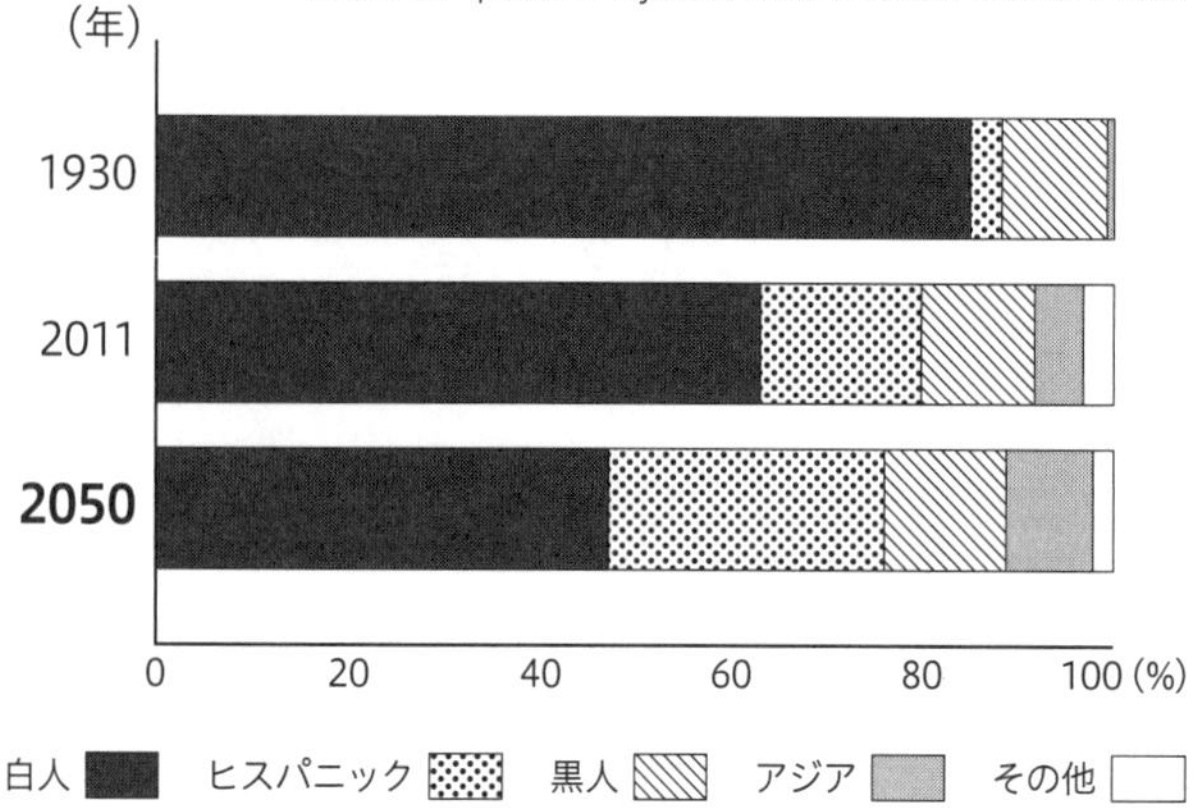

テイラー　アメリカの将来の人種的な予想をご覧になってください。白人はだんだん減って少数民族になる。何%の時点から我々は運動すべきでしょうか？　20%になってからでしょうか？　5%になってからでしょうか？　ゼロになってからでしょうか？

町山　白人がマイノリティになると、白人は選挙で勝てなくなり、政治的なリーダーシップが取れなくなりますよね。

テイラー　そう。それを我々としては喜ぶべきなんですか？　バカな話じゃないですか！　自分たちがマジョリティを維持する権利があったのに、(移民に)どんどん入ってきてください。我々は少数民族でいい。権力を失ってもいいから、どんどん来てください。歴史を振り返って、そういう事例はありますか？　思い当たりますか？　一度でも。これは集団自殺ですよ！

アメリカの人口推移を見ていくと、２０５０年には白人の人口が総人口の50％を切るであろうと予測されています。このまま白人の出生率が減って、移民が増えていけば、これまでと立場が逆転して白人がマイノリティになることは避けられません。

★人種ごとに居住地を分離せよ

ティラー　アメリカの白人の本音は、「少数民族になりたくない」につきます。なぜそれがわかるのかといえば、自分の住んでいる近辺にメキシコ人とか黒人が大勢入ってくると、みんな他所《よそ》へ行ってしまうんです。なぜなのでしょうか。白人は白人と一緒に住みたいからに他なりません。これは白人だけじゃない。どうしてリトル東京とかリトルチャイナタウンがあるんでしょうか。中国人も日本人もやはり言葉が通じる、文化が共通である人たちと一緒に住みたいからですよね。それはものすごく自然なことではないでしょうか。

町山　違う人たちが一緒に仲良く暮らしてもいいじゃないですか。

テイラー　アメリカをご覧になってください。黒人と一緒に暮らそうとしても、なかなかうまくいかない。これは夫婦の話であれば、もう離婚しましょう、という状態なんです。うまく一緒に住めないなら、別れたほうがいいと私は考えてます。

町山　えっ、別れたほうがいいというのは、既にいる人たちがアメリカの中で分かれて暮らすということですか？

テイラー　そういうことです。

町山　白人だけの州（state）を作ることも考えている？

テイラー　もちろん。具体的な計画はないですけど、そうしないと我々はじきに少数民族になるでしょう。いろんな混血によって我々も遺伝的に亡くなってしまう。アメリカの白人としては、絶滅ですよ。

町山　たとえば、アイダホ州※地図(61)を白人だけが住む国とした場合、それってホワイト・リザベーション（White Reservation／白人保護居留地）じゃないですか。

テイラー　まあ、そうなるかもしれませんが、絶滅するよりはマシですよ。

町山　人種ごとに分かれて暮らすようになると、アメリカという国がバラバラになってしまうんじゃないですか。

テイラー　なってもいいんじゃないですか。

町山　なってもいい？

テイラー　なってもいいですよ。なって、どこが悪いんですか？

町山　アメリカが人種ごとに完全に分断されて、独立当時のように州がそれぞれの国として自治権を持つことがいいことでしょうか？　アメリカ合衆国がなくなってしまうじゃないですか。

テイラー　それのどこが悪いんですか？　合衆国。国。これは1つの抽象的な概念です。それより私のファミリー、人種が消滅するという状況ですよ。日本の未来を考えてください。日本人がいなくなったら日本という国に意味はあるんですか？　ただ地図上の名前に過ぎないじゃないですか。

町山　では、アメリカは自由や平等という憲法の理念で1つになっているはずですが、それよりも民族のアイデンティティ（帰属意識）のほうが重要だと？

テイラー　もちろんです。民族は何万年も前からありますし、今後も何万年も続いてくれることを望んでいます。

後半の会話はかなりの緊迫感がありました。今から移民を止めたとしても、白人の出生率は下がる一方だからもう無理だ。この流れは変えられない、と言うんです。だから、「テイラーさんは、さぞかしお子さんいっぱいいるんですよね？」と聞いたら「2人いるけど、2人とも40過ぎで結婚していないし、子どももいない」と。大卒の白人は晩婚化、少子化が進んでいるんですが、もしかすると彼一個人としての価値観が、白人全体としての危機感に拡大されているのかもしれません。

テイラー氏は「君も他人事じゃないだろ」と何度も言いました。日本も韓国も中国も出生率がものすごい勢いで下がって、少子化が進んでいるわけです。もちろん、民族問題は各国にそれぞれの事情がありますが、子どもがいなくなったら国や社会が維持できないというのはたしかに、共通の課題です。

★デタラメだらけの「生物学的な違い」

「同じ人種同士で住むほうが幸せだ」という、多様性を否定するテイラー氏の主張ですが、その根拠は驚くべきところにありました。

テイラー　全世界のいろんな人々と比べると、同じ人種の人たちはある意味で兄弟なんです。だから連帯意識を持つのは当然なんです。生物学的な違いがありますから。

町山　生物学的な違いとは具体的にどんなことですか？

テイラー　たとえば、平均知性。明らかに違います。黒人は平均知性が白人よりもはるかに低い。

町山　何かの研究データに基づいておっしゃっているんですか？

テイラー　いっぱいありますよ。

町山　でも、黒人のスポーツやエンターテインメントにおける偉業は、アメリカという国のレガシーにもなっていますよね？

テイラー　まあ、それは現在のアメリカの一部になっています。しかし、それも遺伝的な根拠があると思います。短距離競走は西アフリカ人が優れています。環境の話ではないでしょう。

町山　遺伝的な問題であると？

テイラー　遺伝的な問題です。その違いを無視するのが現在のアメリカのイデオロギーですよ。

たとえば、黒人が学力テストであまり良い点を取っていないということであれば、これは社会が悪いと言うんです。白人が悪い。それが現在の基本的な考えです。または黒人の犯罪率が高いということであれば、これも社会が悪い、白人が悪いとされてしまう。

テイラー氏が主張した「学力の違いは遺伝」という、耳を疑うような説は、社会的な実験によって完全に否定されています。

1971年から、全米の各都市で、黒人やヒスパニックが多く住む貧困地区の子どもを、中産階級が多く住む地域の学校にバスで通学させ、逆に中産階級の生徒を貧困地区の学校にバスで通学させ、つまり学校の人種を混ぜる制度が始まりました。これに対して、白人の親や地域住民は激しく反対しましたが、しばらく続けてみると、白人地区の学校に通い始めた黒人の子どもたちに著しい学力の向上が確認され、黒人地区の学校でも学力の向上が見られました。つまり、遺伝的要因よりも、生活環境や人間関係の要因のほうが学力への影響は大きかったんです。

バイデン政権の副大統領カマラ・ハリス氏も子どもの頃、黒人地区から白人地区の小学校にバスで通学していました。このバス通学制度は効果が認められたので、論争を呼びながらも、現在も続いています。

★白人至上主義者のホンネ

アメリカン・ルネッサンスの集会には10代、20代の若者も参加していました。その中に日本文化を愛する青年がいました。日本で英会話教室の講師になるそうです。

アメリカン・ルネッサンスの集会

町山　なぜ、日本に興味を抱いたんですか？
青年　日本の文化、音楽が好きだから。本当に面白いと思うよ。
町山　じゃあ、日本の好きな音楽は？
青年　ONE OK ROCKが好きだね。
町山　なぜこの集会に来たんですか？
青年　同じ意見を共有できるから。「人間はそれぞれ違う」ということ。僕は日本人を尊敬しているけど白人は違う。それでいい。世界が発展するためには、違いを理解することが重要なんだ。

彼は、白人の人口の減少について複雑な心境を吐露しました。

町山　白人の減少は心配？
青年　日本人もそうだと思うけど、心配に思ってる。人口が減れば白人が存続できなくなるから。
町山　そのためには子どもを作らなきゃ。

青年　難しいけどね。
町山　日本人の女性を好きになったらどうする？
青年　素敵だから問題ないよ。
町山　結婚したらハーフの子どもが生まれるけど？
青年　ムズカシイ……。個人的には大丈夫だよ。人種によっては、人間は異なることを理解しないと。人種が混在すると固有の文化がなくなる。

★反対の声を上げるＡＮＴＩＦＡ

会場の外には白人至上主義団体に抗議の声を上げる人たちの姿もありました。「ＡＮＴＩＦＡ」と呼ばれている人たちです。

「ＡＮＴＩＦＡ」は"anti-fascist"の略称で「ファシストに反対する勢力」という意味です。１９３０年代のドイツで台頭した反ファシスト運動にルーツがあると言われ、アメリカでは白人至上主義やトランプ支持者の集会などが開催されると、駆けつけて妨害活動を行います。暴力的行為を伴うこともあるため、逮捕者も多数出ています。
メンバーの1人に話しかけてみましたが、なかなか取材に応じてくれません。

ANTIFA① NO！ もういいだろ！

ANTIFAの人たちは基本的には喋らないことがルールになっています。愛想が悪いわけではなく、個人を特定されないことが、運動のためのストラテジー（strategy／戦略）なんです。

ANTIFAの人たちは常にマスクをかぶり、お互いの顔も名前も連絡先も知りません。会合なども決して開かず、リーダーもいません。SNSで誰かが抗議行動を呼びかけると、打ち合わせもなく現地に集まり、運動が終わると現地解散します。誰でも参加できて、いつでもやめられる。このように「組織なき運動」にすることで、当局からの圧力を避け、また、

会場の外には、白人至上主義団体に抗議するANTIFAの姿も

個人のプライバシーを守ることができるわけです。

そのため、彼らはマスコミの取材にも決して応じないんですが、しつこく食い下がって、話を聞いてみました。

町山　この会合には反対ですか？

ANTIFA②　やる権利は認めるけれど、すべての白人が賛同してるワケじゃない。彼らのトンデモない考えに反対し続けるのが重要だな。

町山　トランプ氏が大統領になってから、こういう会合は増えました？

ANTIFA②　大統領が賛同するから「正しい」という奴が増えた。

ANTIFA③　奴らはナチスも同然だよ。当時のイデオロギーで動いてるんだ。その結果、どうなると思う？

町山　世界大戦ですか？

ANTIFA④　あの人たちは大量殺りくを企んでいる。他の人種を根絶したいのよ。一見礼儀正しく見えるけど。

町山　ネクタイにスーツ姿でね。

ANTIFA④　そう！　でも、大量殺りくを計画しているの。
町山　彼らは少数派になるのを恐れていますね？
ANTIFA④　バカみたい！　誰も白人を殺そうなんて思ってないのに。
町山　白人は少子化が進んでるんですよ。ラテン系やアジア系と比べて。
ANTIFA④　だったら彼らは、赤ちゃんと戦争してるのよ。
町山　なるほど！　赤ちゃん戦争だ。

★白人の減少とオバマ大統領誕生

かつて、1960年代前半においては、アメリカ国民の約89%が白人でした。

アメリカの人口調査は1790年から始まりました。最初期の調査書では人種については「白人」「自由な他の白人」「奴隷」の3種類しか掲示されておらず、ネイティブアメリカンは調査の対象にされていませんでした。

1850年の人口調査書には新たに「ムラート（Mulatto）」の項目が加わりました。ヨーロッパ系白人とアフリカ系の黒人との混血を指す言葉で、今で言う「ミックスレイス

(mixed race)」のさきがけです。

1965年に、それまで非白人の移民を禁じていた移民法（Immigration Acts）が改正され、アメリカの扉はアジア、中東、中南米からの移民に対して開かれました。

1980年には白人の割合が約10％減少。移民が増える一方、白人の出生率は下がり続けます。多くの人々は多様性を歓迎しましたが、白人至上主義者は危機感を抱きました。


その後、トランプ前大統領が白人至上主義を活気づけました。しかし白人至上主義者が増えたのは別の大統領がきっかけかもしれません。

バラク・オバマ氏がアフリカ系として史上初の大統領に選ばれた2008年以降、アメリカでは白人至上主義のヘイトグループが急増しました。

オバマ大統領の誕生は、多くのアメリカ人に歓迎されました。しかし一部の人たちにとっては、ホワイトハウスに黒人一家が住むことはショックだったようです。オバマ氏がホワイトハウスに入ると、そういった人たちの反発はますます大きくなりました。猿に見立てた、ひどい人種差別的な絵が出回りました。

オバマ氏の就任によって白人至上主義が加速し、黒人差別と移民への憎悪が1つになりました。アメリカの歴史において移民は国を活気づけてきましたが、同時にアメリカの暗い一面をも目覚めさせたんです。

今から約100年前、ニューヨークのエリス島※地図(62)には移民が押し寄せました。1ヶ月に10万人来た時もあります。ボロボロになりながらアメリカ人になることを熱望しました。

彼ら、イタリア、ギリシャ、アイルランド、ロシア、東欧からやってきた「新移民」は、先にアメリカにやってきたイギリス系の移民から差別されました。そして、南北戦争終結後に黒人の投票を妨害するために生まれたKKKが、新移民排除の団体として再生しました。

当時のKKKは州議会に議席を持つほど拡大しました。そのメンバーからアメリカ合衆国連邦最高裁判所陪席裁判官にまでのぼりつめた者もいます。ヒューゴ・ブラック（1886年〜1971年）です。人々は彼のことを「若い頃は白い衣（KKKの服）をまとって黒人を脅かし、晩年には黒い衣（法服）をまとって白人を脅かした」と評しました。

当時の移民排斥運動は、危険な考えに支配されていました。その1つが「優生学」です。1920年代の研究レポートに書かれた内容を読むと、「イタリア、ポーランド、スラブ系の国の出身者は北欧人、アーリア人、日本人に比べ遺伝的に劣る」という、信じられないほどに差別的な内容でした。ところがこれが移民法を動かすことになります。1924年、アメリカ議会で新たな移民法が可決。アジア系などに厳しい移民制限が実施されました。これにてアメリカは扉を閉ざし、移民を97％も減らします。

さらに、もっと恐ろしい動きがヨーロッパで起こりました。ナチス・ドイツです。ヒトラーは優生学に着目。アメリカのやり方に学ぶべき点があると評価していました。やがてドイツで優生学を根拠に人権侵害が横行したため、アメリカは優生学を封印します。しかしヒトラーの計画は続きました。優生学で人類を改良できると考えたのです。1930年代のナチスの政策は、のちのホロコーストに繋がりました。

そして現在、優生学の考え方は白人至上主義者の間で復活しています。

★そもそも「白人」って……。

インド出身のジャーナリストでCNNの人気ホストのファリード・ザカリア氏は、白人至上主義者のテイラー氏と同じイエール大学出身です。ザカリア氏はテレビ討論でテイラー氏にこんな質問をしました。

【図4】コーカサス地方

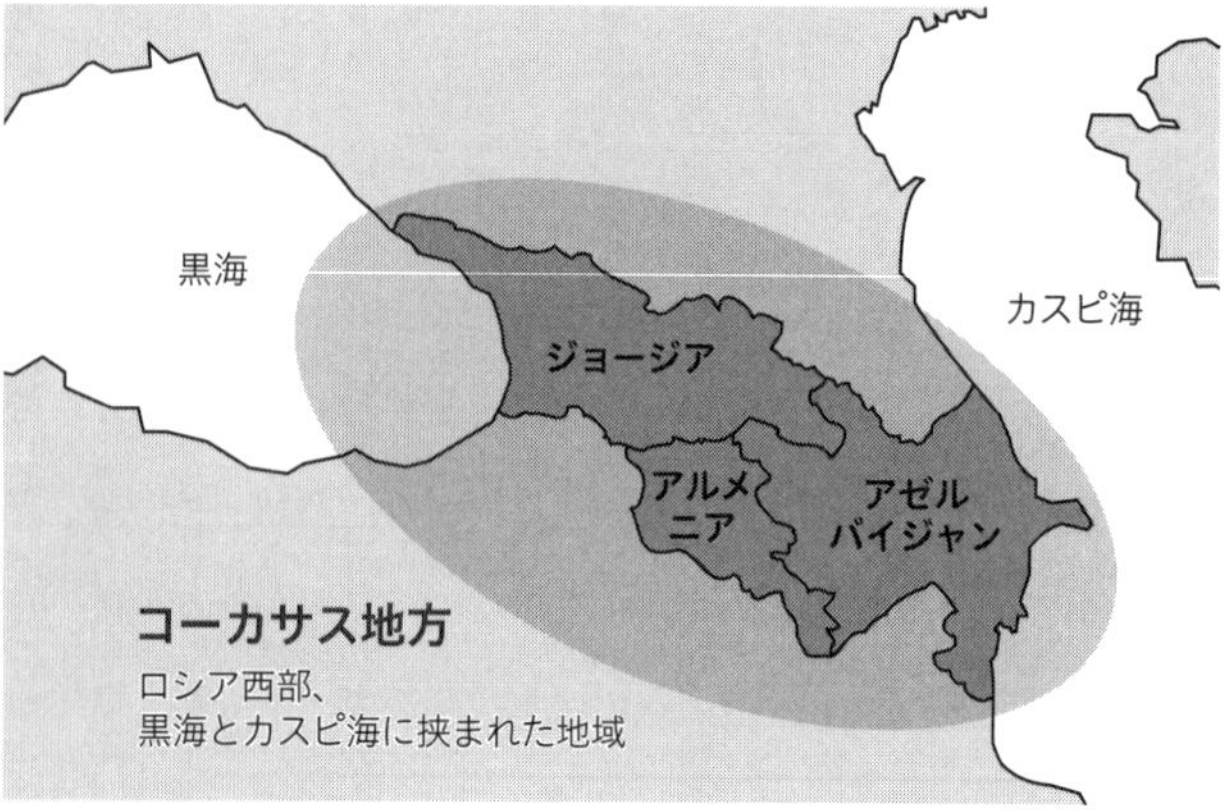

ザカリア　すべての人類は平等ですよ。

テイラー　アメリカを悪くしたのは非白人です。

ザカリア　なぜヒスパニックはダメだと？　彼らもヨーロッパ人ですよ。

テイラー　スペイン人はヨーロッパ人ですが、ヒスパニック系はホンジュラスやグアテマラやメキシコ出身ですから、遺伝的にも人種的にもヨーロッパ人とは違います。

ザカリア　私の先祖はあなたと同じコーカサス人です。アーリア人とも言いますよね。アーリア語はインドから来た言葉です。そして私はインド出身です。私は白人でしょうか？　あなたが人種的な分類に基づく政策を謳うなら、私はどこに分類されるのか教えてください。

テイラー　白人には見えません。

ザカリア　でしたら、科学的根拠を示してください。

テイラー　ほとんどの場合、見た目で判断できます。あなたは白人ではないです。

藤谷　それまでの質問にはスラスラと喋っていたテイラー氏が、「白人とは何か」というテーマになった途端、歯切れが悪くなりますね。

町山　それにはいくつか理由があって、まず白人というものを定義することがすごく難しい。白色人種は人類学上の分類区分では**コーカソイド（Caucasoid）**と呼ばれ、その発祥の地は、前ページの地図で示したようにカスピ海と黒海に挟まれたコーカサス地方とされています。これはコーカサス山脈の南にある、トルコとの国境沿いにあるアララット山に『旧約聖書』に登場する「ノアの方舟」がたどり着き、そこから広がったと信じられていたからです。

藤谷　キリスト教の世界観が関係しているんですね。

町山　インド人のザカリア氏も人種的にはコーカソイド。白人なんです。でも、ヨーロッパ人は彼らのことを白人と思っていないんです。

藤谷　もはや、実態のない概念じゃないですか。

町山　そうなると「白人って何？」ってことですよ。

藤谷　もともと人類発祥の地は1つで、みんな同じところから始まってるわけですから。

町山　その通り。約20万年前にアフリカで誕生して、世界各地へ移動していったんです。白人至上主義なんて一種のフィクションでしかありません。

★白人至上主義の未来

藤谷　これからはミックスレイスの人のほうがマジョリティになるんですか？

町山　そうですね。202ページのグラフで示したように、2050年には白人が総人口の50％を切るので、アメリカの中では既にマジョリティではなくなりつつあります。それに対する恐怖心がヘイト・クライムに繋がるのだろうと推測されています。

藤谷　人種を理由にした差別って、太古の昔からいろんな国であったものですし、結局の

町山　ところは自分の努力なしに相手を批判できる一番簡単な方法じゃないですか。努力がいらないですからね。多数派にさえ生まれていれば行使できる暴力が人種差別です。昔だったらKKKのメンバーが大勢で押し寄せて、ごく少数の黒人を取り囲んでリンチしていたわけですけれども、今は1人でいいんです。アメリカには銃があるから。最近起こった銃撃事件や銃乱射事件の多くが1人の寂しい少年が憎悪をたぎらせて銃撃を起こすと、いっぺんで30人ぐらい死ぬんです。

藤谷　本当に危険ですね。

町山　そう。だからこそ、たった1人でも差別的な気持ちに染めていくことは許されないんです。

★★ アメリカの今を知るキーワード ★★

白人至上主義

白色人種こそ最も優れた人種であり、黄色人種や黒人などは白人に比べ劣っている、とする人種差別の立場や考え方。白人優越思想。

ネオナチ

ナチスやヒトラーを信奉する極右派。

アメリカン・ルネッサンス

白人の優位性を主張する団体。

コーカソイド

ヨーロッパ全土、西アジア、北アフリカ一帯に分布する人種群。一般に体表の色素が少なめで、明色の皮膚・虹彩《こうさい》・毛髪をもつ人が多い。

第11章

★★★★★★★★★★

不法移民は、なぜ中米三角地帯から来るのか？

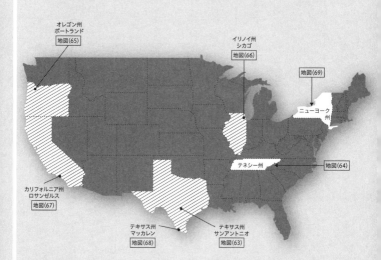

２０２２年６月27日、メキシコとの国境に近いテキサス州サンアントニオ※地図(63)郊外で、密入国の不法移民を満載している大型トレイラーが発見されました。その時気温は40度以上で、閉じ込められていた移民たちは50人以上が死亡していました。犠牲となったのは、メキシコ、グアテマラ、ホンジュラスからの難民でした。

アメリカではここ10年ほど、メキシコとの国境から違法に入国する「不法移民」が社会問題化しています。

不法移民というと、メキシコ人だと思っている人が多く、トランプ氏もそのように言っていましたが、実際は違います。

国境当局によると、２０２１年10月から22年９月までの１年間にアメリカ南部のメキシコとの国境を不法に越えた入国者のうち、40％以上が、メキシコのはるか南、北部三角地帯と呼ばれるホンジュラス、グアテマラ、エルサルバドルからはるばるやってきた「難民」でした。今、国境で何が起きているのでしょうか？

★ICEの「容赦なき」不法移民取り締まり

藤谷 トランプ氏は2016年の大統領選挙の時から「メキシコとの国境に巨大な壁を建設する」という公約を掲げていましたよね。

町山 はい。その「壁」公約で移民を恐れる人々から票を集めました。それで大統領になったトランプ氏は就任直後にイスラム圏からの入国禁止令を出し、ICE《アイス》の職員を1万人増強したんです。

ICEとは、アメリカ合衆国移民・関税執行局（U.S. Immigration and Customs Enforcement）というのが正式名称で、2001年の同時多発テロに対して設置された国土安全保障省の下部組織です。ただ、ICEの仕事は基本的に不法移民の国外退去です。

藤谷 オバマ政権下にもあったんですね。

町山 はい。でも、国外退去させるのは主に罪を犯した人が対象でした。しかし、トランプ政権は「ゼロ・トレランス」政策を打ち出しました。

藤谷 「容赦なし」政策。

町山　不法入国者を全員逮捕して即座に刑事訴追する、というものです。たとえば、２０１８年４月にはテネシー州※地図(64)の食肉加工場をＩＣＥが急襲して、不法移民労働者１００人を逮捕しました。

藤谷　アメリカでは不法移民の人たちが安い労働力として、工場や農場、建設労働者や庭師やメイドになって働いていますからね。

町山　２０１８年４月~６月にかけて、メキシコ国境で２０００人以上の不法移民の子どもたちを親と引き離して収容しました。これは非人道的だとして、国内外から強い反発が起こりました。

藤谷　親に連れられて国境を越えた子どもたちですよね。胸が痛い。その他、普通に道を歩いていた不法移民もかなり捕まりました。

町山　移民かどうかは、たいてい見た目で判断します。メキシコっぽい、中南米っぽいという理由で逮捕するんです。そうして、トランプ政権下では数千人がＩＣＥに捕まって、入管センターに拘置され、死者が１００人以上確認されました。病気になっても治療されないまま放置されてしまうから。

藤谷　ひどい。

町山　「親子引き離し」について、トランプ氏は「オバマ政権のせいだ」と言いました。幼い子どもを連れた不法移民を逮捕した場合、衛生環境の悪い入管センターに入れてはいけないという規則をオバマ政権が作ったからです。それで子どもだけを別の施設に監禁したんですね。

ＩＣＥへの怒りが高まる中、オレゴン州ポートランド※地図(65)で、市民が抗議のためにＩＣＥを占拠するという事態が起こりましたので、取材に行ってきました。

ICEの入り口を封鎖し、職員が入れないようにする「親子引き離し」反対派の人々

★不法移民が増えても犯罪は増えていない！

２０１８年７月、オレゴン州ポートランドで市民によって占拠されたＩＣＥを訪ねました。ＩＣＥの入り口に人々がテントを張って、何日も暮らしています。

町山　ここで何をしているんですか？

【図5】メキシコ国境からの不法移民の人口推移

注：米税関および国境警備局によって南北国境で入国不許可、逮捕、および国外追放された人数の合計
出典：米税関・国境警備局のデータを基にSBクリエイティブが作成

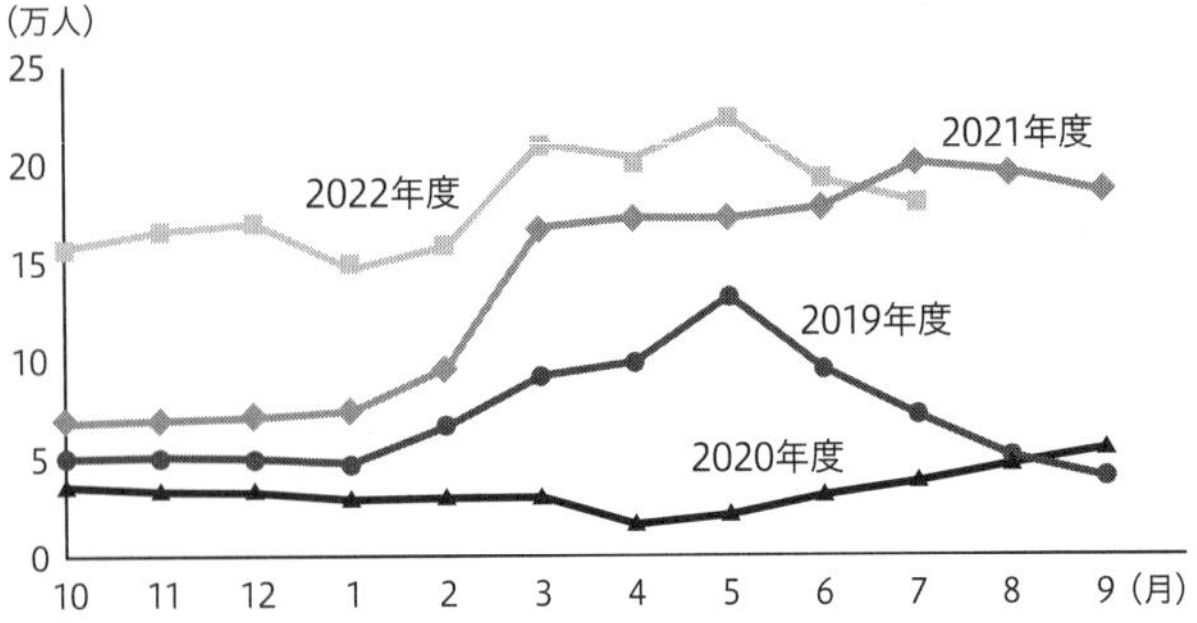

女性①　ＩＣＥに職員が入れないように塞いでいます。彼らが、移民や難民たちを収容所に入れて親子を引き離していることへの抗議です。ポートランドには子どもを収容する施設が２ヶ所もありますが、どちらもとても悲惨な状況です。

続いて、以前家族を収容されたことがあるという女性。

女性②　実は私の義理の父が不法移民として去年ＩＣＥに捕まったんです。当時母は妊娠中でした。子どもが２人いて、義理の父の収入が家計を支えていましたから食費も家賃も払えなくなって、

【図6】グアテマラ、ホンジュラス、エルサルバドル

町山　アパートを追い出されました。まだ拘束されていらっしゃるんですか？

女性②　支援者の助けで保釈金を集め、義父は4ヶ月後に釈放されました。9月に移民局と面接の予定があって、強制退去になるかもしれません。

町山　お義父さんはアメリカに何年いらっしゃったんですか？

女性②　25年以上です。

町山　そんなに長く。

女性②　仕事に行く途中、路上で警察の車が突然近づいてきて逮捕されました。

町山　路上で？

女性②　お店や教会内、学校の中などでも逮

捕されてしまうんです。買い物中に逮捕されるなんて恐ろしいことです。一瞬で人生が変わってしまうんですから。

「容赦なし」の不法移民取り締まりの理由について、トランプ氏は「不法移民が激増して犯罪を増やしているから」と言ってきました。でも、それは嘘なんです。近年、不法移民はたしかに増えているんですが、殺人や傷害などの暴力犯罪の数は減っているんです。アメリカで最も暴力犯罪が多かったのは90年代以前ですが、当時は現在ほど不法移民は多くなかった。だから不法移民数と犯罪の発生件数に関連はないんです。

抗議活動参加者の中には、平和のサインがついた逆さまの国旗を掲げて「移民たちの苦しみ」を表明する人も

★中米三国を支配するギャングはアメリカ生まれ

メキシコの格闘技、ルチャリブレのマスクを被った母子を発見しました。掲げているプラカードにはスペイン語で、「ル

チャ・ポー・ロ・クエ・クエンタ」と書いてありました。

女性③　「大切なもののために戦おう」という意味です。

町山　祖先はメキシコ系ですか？

女性③　私はシカゴ※地図(66)生まれだけど、父はメキシコからの季節労働者で１９４０年代にアメリカに渡って農場で働いていたの。そしてアメリカ人の母と結婚して私が生まれました。

町山　じゃあ、アメリカ生まれのアメリカ人ですね？　ＩＣＥのやり方をどう思いますか？

女性③　恐ろしいです。子どもを引き離されたら、親としてとても耐えられません。アメリカは中南米に進出して政府を破壊し、その結果、生活が不安定になった人たちが亡命を求めてアメリカに来ているのに、それを拒否するなんて。

町山　アメリカが進出した中南米とは、ホンジュラス、グアテマラ、エルサルバドルの中米三国のことですね。日本では、アメリカの不法移民は仕事を求めてメキシコから来ているると思っている人が多いでしょうが、実際はかなり違います。半分くらいがこの中米三国から来ているんです。

藤谷　なぜ、彼らはアメリカに来るのでしょう?

町山　この三国が政治的に不安定で、貧しく、殺人が多いからです。2020年のホンジュラスの国民1人あたりのGDPは約2400ドル。グアテマラは約4600ドル、エルサルバドルは約3700ドル。これくらいが平均年収ということですね。

藤谷　日本円でいうと、30万円くらいですね。

町山　世界でも最低レベルです。一方、殺人発生率は世界トップレベル。ホンジュラスの10万人あたりの殺人被害者は40人ぐらいを推移してます。エルサルバドルは5年前には50人くらいでしたが、2021年には17人に減りました。グアテマラもそのくらい。ちなみに日本では0・2人です。

藤谷　日本の何百倍も!

町山　警察も国も手が出せないほど、ギャングが暴れているからです。中米三国で最も強大なギャング組織「MS－13」の構成員は、約17万人と言われています。映画『闇の列車、光の旅』(2009年)ではMS－13から逃れようとアメリカに向かう若者たちの姿が描かれましたね。

藤谷　ＭＳ－13。どういう意味でしょう。

町山　ＭＳのＭは集団を表すＭａｒａ、Ｓはサルバドル。13はアルファベットの13番目の文字でＭ、これはメキシコを意味します。つまり2つの国の名前がグループの中に入っているんです。このＭＳ－13と、その対抗勢力「Ｍ－18」が中米三国にまたがって覇権を争っているんですが、彼らはもともとアメリカのロサンゼルスで発生したんです。

話は40年ほど前にさかのぼりますが、１９８０年代、エルサルバドルが内戦になりました。これは右翼軍事政権と社会主義ゲリラとの戦いでしたが、アメリカのロナルド・レーガン政権が軍事政権を支援して泥沼化しました。この内戦はオリバー・ストーン監督の映画『サルバドル／遥かなる日々』（１９８６年）でも描かれましたが、これが10年ぐらい続いて、エルサルバドルからの難民がアメリカに逃げ込みました。

藤谷　正式な難民ですね。

町山　はい。エルサルバドル難民がロサンゼルス※地図(67)に住むと、そこにはメキシコ系のギャングがいて、難民の子どもたちが吸収されていったんです。メキシコ系ギャングはエルサルバドルから来た新米たちを戦闘部隊に育てました。彼らは、自分たちをMS－13と呼ぶようになります。

藤谷 なぜ、中米三国で勢力を広げることになったんですか？

町山 1990年代に入って国連とアメリカ合衆国――特に1993年に成立したビル・クリントン政権が、エルサルバドル内戦を終結させ、エルサルバドル系の犯罪者を母国に送り返したんです。彼らはギャングのままエルサルバドルで勢力を広げ、さらに隣国のホンジュラスやグアテマラに勢力を伸ばし、中米三国はめちゃくちゃになりました。

★バナナ共和国を建国したアメリカ

藤谷 そもそもエルサルバドルは、なぜ政情不安に陥ったんですか？

町山 20世紀初頭、グアテマラ、ホンジュラス、エルサルバドルの三国は「**バナナ共和国**（Banana Republic）」と呼ばれていました。

アメリカ政府がユナイテッド・フルーツ社とスタンダード・フルーツ社という2つのアメリカの会社と結託して、バナナやコーヒーといった商業作物を作らせるために、この3つの国を支配していたからです。とにかく片っ端からバナナ農園にして、アメリカや世界に輸出する。フルーツ会社はその国に鉄道、水道、郵便と一体インフラを全部作ってやる。中米三国の政府はアメリカ政府とアメリカ企業の傀儡《かいらい》で、ほとんど植民地状態でした。

藤谷 こうして国土のほとんどをバナナやコーヒーの農園にしてしまったわけですが、そんな国ってどうなると思います？

町山 食べるものがないから、全部輸入に頼ることになる？

藤谷 その通り。バナナやコーヒー農園で働く労働者は、もらった給料で外国から輸入した食料を購入して食べる状態になります。しかも、その農園はアメリカ企業の経営ですから、作物の利益は全部アメリカに吸い上げられてしまう。だから国はいつまでも貧しいままで、国民は奴隷状態になったんです。

町山 他に仕事をする場所がないから、お金を手に入れようがない。

藤谷 産業も農業も育たないし、政治も文化も育たない。そんな政府に怒った反政府勢力がゲリラ化して内戦になる。アメリカは政府を、ソ連は反政府勢力を後押しし、内戦は拡大しました。そんな無政府状態の国にMS－13が入ってきたら一気に広がってしまいますよ。治安も何もあったものじゃありません。

藤谷　中米からの難民の原因はアメリカにあったんですね。

★難民であふれるマッカレンの現場から

2018年11月、難民問題に揺れるテキサス州マッカレン※地図(68)を取材しました。ここはアメリカの最南端、メキシコとの国境の街で、中米方面からはるばるやってきた難民たちが最初に到達するアメリカの地です。

マッカレンは人口の9割がヒスパニック系です。メキシコとの国境の橋で、何のチェックも受けずにアメリカとメキシコの間を行き来している人が大勢います。

話を聞いてみると、メキシコ国籍でメキシコ側に住所がありながら、毎日アメリカに通勤している人が多かったです。アメリカで給料を稼ぎ、家賃も物価も安いメキシコで豊かな生活をしています。だから、彼らはアメリカに移住したいとは考えていません。アメリカの給料でアメリカの家賃や物価を払ったら、何のメリットもないからです。

そのため、この地域のメキシコ人はアメリカに移住しようとしないんですが、中米からの難民が毎日、この国境を越えていきます。

かつてトランプ氏は、メキシコとの国境に壁を建設することを強調しましたが、実際に国境に来てみると、壁を作ることは事実上不可能だということがわかります。

この地域の国境はリオ・グランデ川なので、川の上に壁を作ることはできません。そこで、アメリカ側の河岸に壁を建てることになりますが、河岸はほとんどが私有地の農場なんです。そこに無理やり壁を建ててはいるんですが、農場の中ですから、トラックが通れるように、壁のあちこちが途切れています。意味ないですね。

トランプ氏が考えたような壁を築こうとしたら、莫大な私有地を借り上げることになり、ほとんど不可能です。

難民たちはリオ・グランデ川を泳いで国境を越えます。そして、壁の切れ目から市内に入り、バス停とかに座って、ボーダーパトロール（国境警備隊）に捕まるのを待つ。

不法移民はボーダーパトロールから隠れて逃げ続ける、と思っている人も多いでしょうが、彼らは「難民」なので、難民申請をするんです。

★難民を救うのは神の教え

難民たちは入管センターに連れていかれ、難民申請をします。ほとんどの人が難民申請用の身元証明書などを備えています。それに、彼らはアメリカ国内に親戚などの身元引受人がいます。入管センターで、身元引受人に連絡して承諾を確認すると、難民申請が受理されます。

すると、難民として認定されるまでの間、アメリカで暮らすことが許されます。移民局の職員は彼らを、長距離バス・ターミナルで解放します。後は、全米各地の身元引受人のところまで自力で向かわなければなりません。

マッカレンのバス・ターミナルでは、そんな難民でごった返したことが問題になりました。英語ができなくてバスのチケットを買えなかったりして、ターミナルに住んでしまう人まで発生する始末。このままでは難民キャンプ化してしまうということで、地元の人が彼らの世話をしてバスに乗せるボランティアを始めたんです。

移民局のバスから降ろされた難民たちは、ほとんどがホンジュラス・エルサルバドル・グアテマラ出身で、小さな子どもを連れています。

難民たちをボランティアスタッフが、近くの建物に連れていきます。カトリック教会が運営する難民のためのケア施設です。この運動を始めたシスターのノーマ・ピメンタルさんにお話をうかがいました。

町山　国境を越えてくる人は増えていますか？

ノーマ　増え続けています。当初は1日150人くらいだったのに最近では250〜350人は来ますね。

町山　毎日250人？　マッカレンだけで？

ノーマ　そうです。

町山　なぜ、支援活動を始めたんですか？

ノーマ　聖書には難民を保護するように書かれています。たとえば「出エジプト記」22章21節「あなたは寄留の他国人を苦しめてはならない。また、これを虐げてはならない」などです。私は神の教えに従っているだけです。

施設の壁には、移民や難民の守護聖人、聖トリビオロモとして知られるカトリックの司祭である、トリビオ・ロモ・ゴンザレスの肖像画がかけてありました。

★全員、GPSで監視

施設内には100人ほどの難民がいました。

ノーマ　昨日来た人たちです。既に難民申請の手続きを済ませてバスの時間を待っています。シャワーも浴びたし、温かいスープも飲みましたよ。

町山　ここで一晩過ごしたんですか？

ノーマ　ええ。床にマットを敷いて寝てもらっています。

町山　まるで日本の敷布団みたいです。

さらに施設の奥に案内していただくことに。

町山　おむつが積んでありますね。

ノーマ　おむつ、ミルク、シリアル、哺乳瓶など、全部寄付されたものです。洋服や靴なども あって、難民の皆さんが着替えることができます。

町山　こちらは食糧ですね。

ノーマ　難民の皆さんがここを出ていく時に渡します。8種類の軽食に水が2種類。手作りのサンドイッチも8種類あります。1袋に4つ入っています。

診察室もあり、様々な薬が常備されています。子どもたちが遊べるスペースでは、みんな無邪気に遊んでいます。温かいスープで、苦難の道のりで疲れた体と心を癒やしてくれます。取材中にも次々と難民が到着し、施設内はあっという間に満杯に。何かを配っている人がいます。どうやら、靴ひものようです。

町山　なぜ靴ひもを？

施設の男性　難民たちは、勾留されると自殺防止のために靴ひもを没収されるんです。

施設の女性　（男性の難民を指さしながら）彼はホンジュラスから来たそうです。最も危険な地帯です。

町山　ここまで何日かかりましたか？

男性①　列車やヒッチハイクで16日間です。妻と2人の子どもはまだホンジュラスです。

町山　それは心配ですね。アメリカの身元引受人は？

男性①　アメリカに姉がいて助けてくれます。取材してくれて感謝します。多くの人に伝えてください。私の国には仕事も社会全体に対する希望もありません。娘がギャングに殺されたり、レイプされたりしたら大変です。

町山　（子ども連れの女性に）どちらから？

女性　グアテマラです。

町山　どんな状況ですか？

女性　美しい国ですが、ひどい問題が起きています。犯罪です。

町山　身元引受人は？

女性　ニューヨーク※地図(69)に兄がいます。

町山　ここからは長旅ですね。

女性　見当もつきません。

町山　娘さんは何歳ですか？

女性 5歳です。

町山 よく見ると、皆さん、足首に何かの機械をつけていますが……。何ですか？

男性② GPSです。難民として認定されるまでの約1~2年間、大人はつける義務があります。身元引受人のもとから移動は禁止されており、当局に居場所を報告する義務があります。居場所を把握するためです。

町山 2年もGPSを？

男性② ええ。毎日充電する必要があります。これが充電器と予備のバッテリーです。

町山 これは、全然報道されていないショッキングな事実です。

★難民は「ギャング」じゃない

中米からの難民がアメリカにたどり着くまでにかかるお金は、1人あたり約30万~40万円と言われています。これは平均年収と同じくらいなので、大変な金額ということがわかります。

その金を工面するために一切合財を売り払ったり、親戚から借り集めたりします。いくつかの国境を越えるたびに難民ブローカーにお金を払わないといけない。1〜2週間かけて移動するため、バスに乗る運賃や宿泊のお金も必要です。

いっぺんにお金が調達できない場合、奥さんと子どもだけ先にアメリカに行かせたりします。お金が足りなくて、子どもだけ行かせる場合もあります。

しかも、彼らは現金を持っているとわかっているわけですから、狙っている奴らもいます。子どもを誘拐されて、人身売買される可能性もある。

だから難民たちは自分たちを守るため、だんだん大きな集団になって、キャラバン化していったんです。

町山　トランプ氏は難民を「ギャングだ」と言っていましたが……。

ノーマ　まったく違うでしょう。ご覧の通り、純粋無垢な子どもや赤ちゃんじゃないですか。犯罪目的のギャングと、保護を求めて入ってくる難民は全然違うのに一緒くたにしています。小さな子どもを連れた家族が助けを求めに来ているので、大きな壁も軍隊も必要ないんです。これは人道的な問題なのに政治的な問題に利用されています。

国境で難民を追い返すよりも、彼らが国を捨てなければならなかった理由を考えて、その根本を解決しないと難民は減りません。

★バイデン氏は、子どもの移民大歓迎？

町山 ジョー・バイデン氏が2021年に大統領に就任して最初にしたことは、トランプ氏が進めていた国境の壁の建設中止でした。

藤谷 お金ばかりかかっていたイメージはありますからね。

町山 現場を実際に見ると、壁は作れないんですよ。国境のかなりの部分が私有地ですから。

トランプ政権下の難民受け入れ数は年間1万5000人でしたが、バイデン政権は年間6万2500人まで引き受けると言ってしまったため、メキシコの国境に中米からの難民が大勢押し寄せました。2021年4月だけで17万2000人です。

藤谷 年間受け入れ数の3倍じゃないですか。

町山 はるかにキャパ超えしているんですけれども、問題なのは、子どもだけが入ってきているケースが多くなっている点です。

バイデン政権なら、子どもは国外退去させないだろうということで、親があえて送り出すんです。ギャングになったり、殺されたりしないでほしいから。

★難民問題の抜本的解決のために

町山 状況を鑑みて、バイデン政権は難民問題のもとを断つ政策を打ち出しました。つまり、中米諸国の治安を正常化させるということです。それに、4年間で40億ドル、およそ6000億円以上を投じる考えを示しました。

藤谷 アメリカが初めて責任を取ろうじゃないかということですね。

町山 その予算でアメリカが中米で具体的にやろうとしている変革は……。まず、政治腐敗の排除。軍事独裁政権がやりたい放題やっているから、そこにちゃんとした民主主義をもたらすために各国の大統領たちに圧力をかけています。次に農業改革。輸出用の商品作物じゃなくて、自分たちで食べるための農業への転換を支援すると言っています。

藤谷 もう1つは、アメリカの民間企業を促して、ここの地域への莫大な投資をさせることです。マイクロソフトは、2022年7月までにこの地域で最大300万人がインターネットに接続できる状態にすると言いました。中南米の人たちはネット環境がないんですよ。教育もないから何にもできない状態なので、とにかく300万人がインターネットに無料で繋げる状態にすると。

そして金融。クレジットカード大手のマスターカードは、500万人が金融システムを利用できる環境を整えて、零細企業や小規模事業者が電子バンキングを利用できるようにすることを表明しました。

町山 ビジネスをスタートアップしやすいように。

藤谷 そうです。バイデン政権は、この3ヶ国が経済的に自立できるようにすることで難民問題を解決しようとしています。しかし、それは本当に遠い道のりです。

★★ アメリカの今を知るキーワード ★★

ICE

アメリカ合衆国移民・関税執行局。2001年の同時多発テロ後に設置された国土安全保障省の下部組織。基本的には不法移民の国外退去が仕事。

「ゼロ・トレランス」政策

軽微な規律違反であっても見過ごさず、厳しく罰することで、より重大な違反を未然に防ごうとするもの。不法入国者を全員逮捕して即座に刑事訴追する政策。

バナナ共和国

バナナなどの熱帯果実の輸出や外国資本への依存度が高く，政治的に不安定なグアテマラ、ホンジュラス、エルサルバドルなど中南米の小国を指す蔑称。

トリビオ・ロモ・ゴンザレス

カトリックの司祭。クリステロ戦争時の殉教者。メキシコおよびアメリカで最も有名なメキシコの聖人の１人。

第12章

★★★★★★★★★★

「痛み止め」オピオイドで毎日100人が死亡！

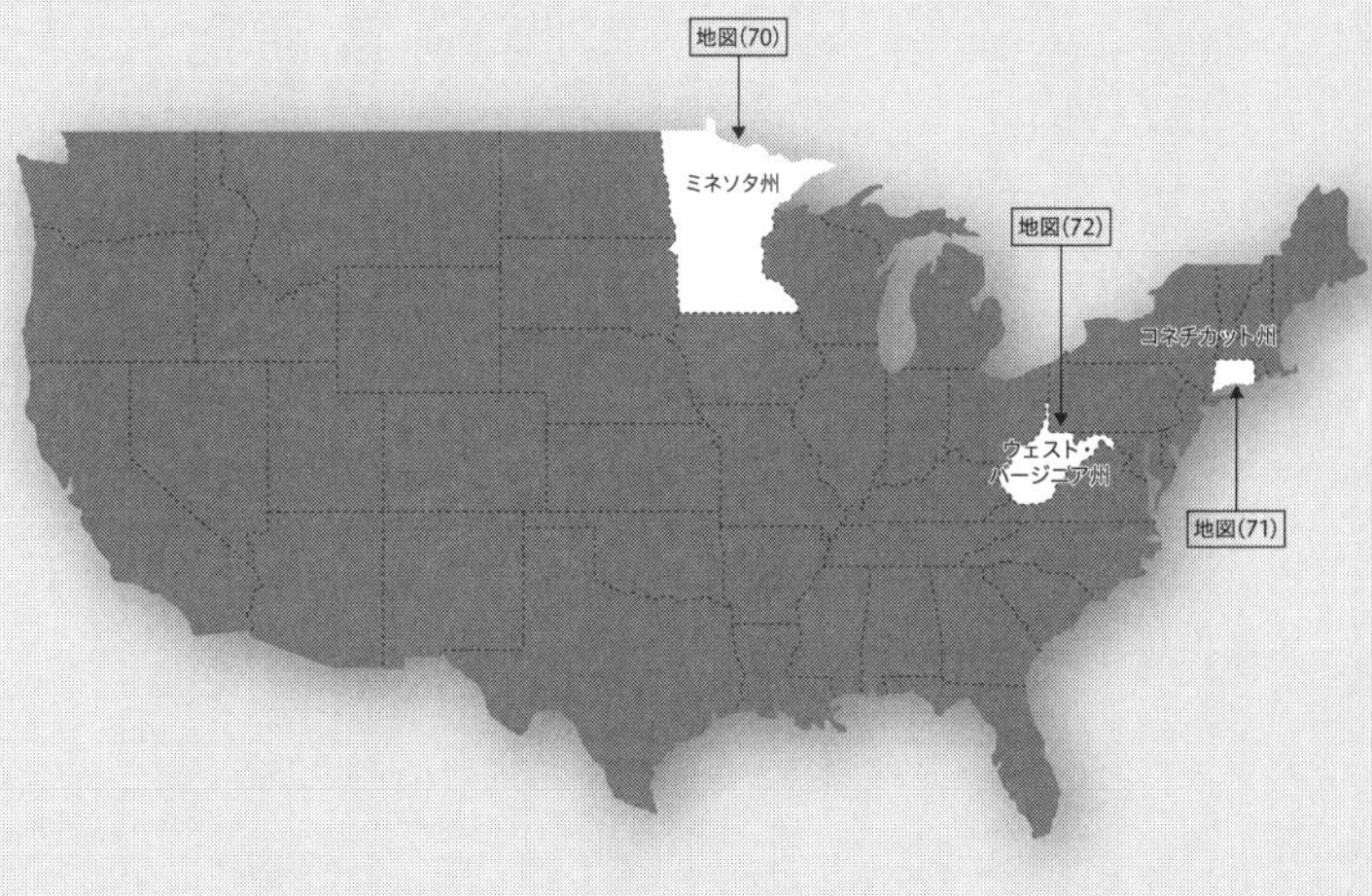

皆さんは「オピオイド（Opioid）」をご存じでしょうか？

オピオイドはケシの実から取れる阿片（オピウム／Opium）が原料の薬物の総称です。化学的な組成を変えて毒性を落とした鎮痛剤が、「オピオイド」として医療用に認可され、合法的に処方されてきました。

「毒性」は多少弱いとはいえ、麻薬であるヘロインやモルヒネと同じようなものなので、長期間服用すれば当然、危険が伴います。また、依存性も併せ持っているので、服用を始めるとなかなかやめることができません。

実際、長期の服用で依存症になって過剰摂取による死亡事故も増えています。2017年には全米で年間4万人以上、つまり毎日100人以上の死者が出ました。

当時の大統領だったドナルド・トランプ氏も、オピオイド危機を「国家的不名誉」として非常事態宣言を出し、次のように述べました。「オピオイドの過剰摂取で死ぬ人数のほうが、銃による殺人や自動車事故の被害者の合計よりも多い」。今やアメリカ社会を揺るがす大問題になっているんです。

★2000年代以降、急増した薬物中毒患者

町山　2018年2月に刊行された『TIME』誌は「The Opioid Diaries」と題して、1冊丸ごとオピオイド問題の特集を組みました。ジェームズ・ナクトウェイという有名な戦場カメラマンが長期取材で撮影した薬物中毒の生々しい現場を伝えたもので、『TIME』誌95年の歴史で初めて1人の写真家の作品だけで1冊にしたことも話題になりました。

藤谷　それくらい異例、ということですね。

町山　衝撃的な写真でしたね。道端でヘロインを注射している人なども収められていました。

かつてヘロインをやるのはギャングや貧しい人だったんです。でも、今は一般の人たちが、医療用オピオイド中毒を入り口として次第にヘロイン中毒に堕ちていくようになりました。次のページにあるグラフを見てください。2010年代に入るとオピオイド全体の使用量が急激に増えているでしょう？

藤谷　なぜですか？

【図7】オピオイド系薬物の過剰摂取による死亡者数

出典：SOURCE: CDC/NCHS, National Vital Statistics System, Mortality, CDC WONDER, Atlanta, GA: US Department of Health and Human Services, CDC, 2020. https://wonder.cdc.gov/

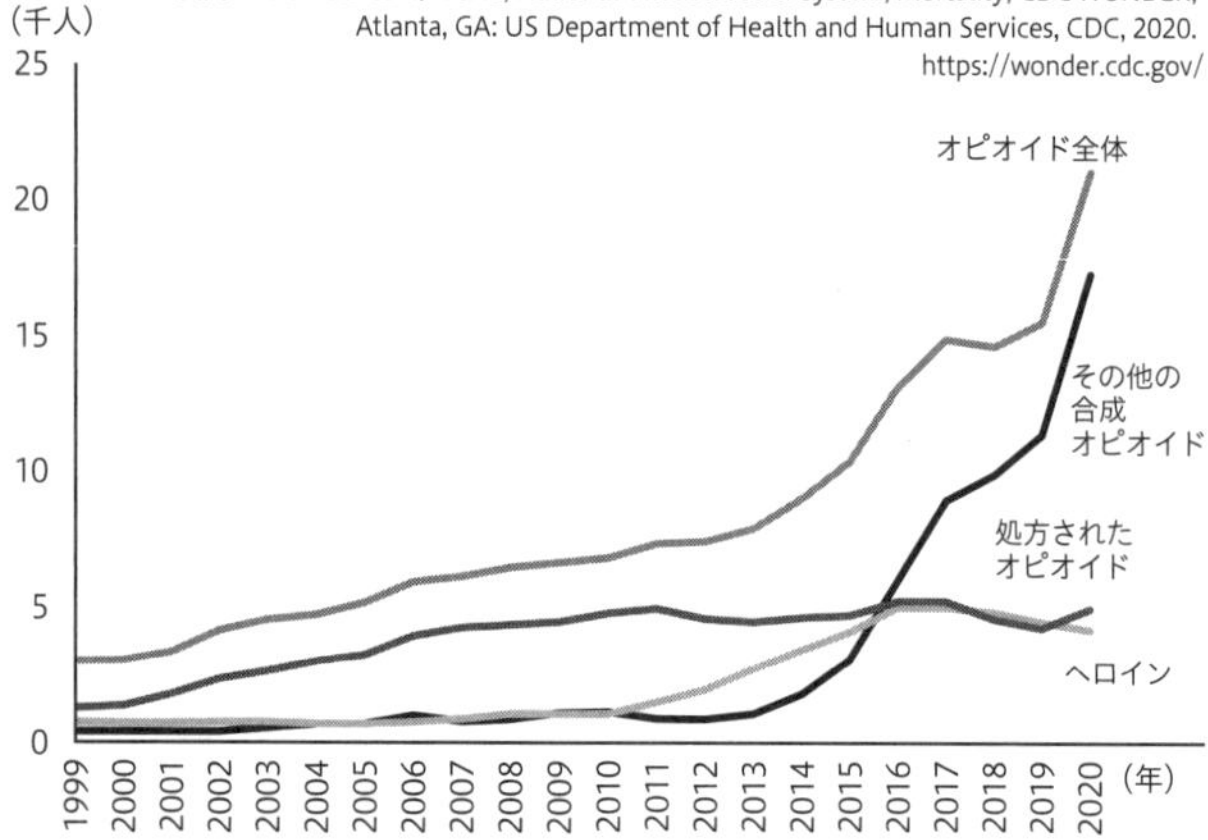

町山　オピオイド系鎮痛剤の1つ、「オキシコンチン」が、90年代終わりに認可されたからです。

藤谷　誰が認可したんでしょう。

町山　FDA（Food and Drug Administration／アメリカ食品医薬品局）という、薬や食料品を認可する政府機関です。そして、1996年、医薬品会社パーデュー・ファーマ社が「安全で、1回服用すれば鎮痛効果が12時間続く」という宣伝文句で、オキシコンチンを売り出しました。

藤谷　そこから、一般の人にも手に入るようになったというわけですね。

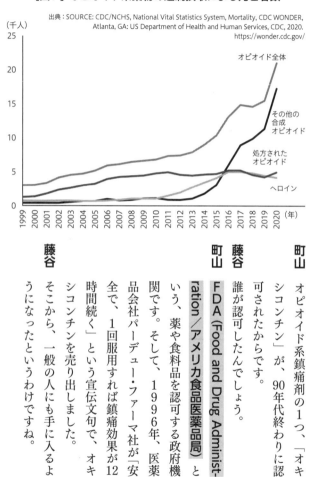

★オピオイドの過剰摂取で死亡するセレブたち

町山　2016年4月にアーティストのプリンスの死亡が報じられました。

藤谷　57歳。突然の訃報でしたね。

町山　その後、ミネソタ州※地図(70)検視局は彼の死因を「鎮痛剤フェンタニルの過剰投与による中毒死」と発表しました。フェンタニルもオピオイドの一種で、なんとヘロインの50倍も強いんです。
パッチを貼って皮膚から吸収するんですが、強力なので非常に危険です。

藤谷　社会問題化したのはプリンスの死からですか？

町山　そうですね。さらに、救急隊員がスマホで撮影した現場写真が物議を醸しました。自動車の運転席と助手席で30代の夫婦がオピオイドの過剰摂取で死亡していて、後部座席のチャイルドシートには彼らの幼い子どもが、状況を理解できないまま座っている、というものです。

藤谷　……。悲痛ですね。

町山　オピオイドが特に流行っているのはラストベルト（アメリカ中西部地域と大西洋岸

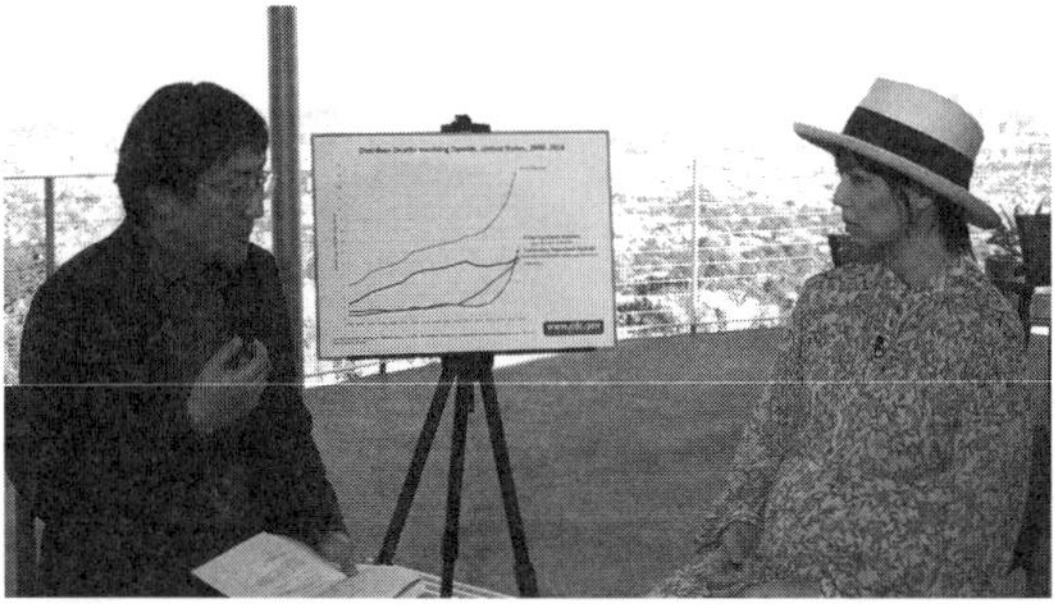

中部地域の一部にわたる工業地帯）や炭鉱の町など、産業が衰退している地域です。若い頃から肉体労働を続けてきた年配の人は関節炎になりやすいんです。特に腰がやられますよね。

藤谷 体を酷使するから。

町山 そこで、オピオイドを摂取すると痛みが和らぐだけでなく、多幸感につつまれます。その後薬が切れると、痛みと不安が何倍にもなって返ってくる。だから、さらにオピオイドを求めて摂取量が増えて中毒になっていきます。

藤谷 怖い。そうなると止められなくなるということですね。

町山 完全な中毒になるまで3年から5年ぐらいかかるので、あまり表立った問題にならなかった。

藤谷 政府はどのように対策を講じたんですか？

町山 2018年1月、当時のトランプ大統領は連邦議会の議員に向けて行う一般教書演説で、「薬物問題に歯止めをかけるには密売組織と末端の密売人に対し、もっと厳しい姿勢で臨まねばなりません」と言いました。3月には「密売人は全員死刑」とも言いました。

オピオイドは密売ではなく、処方薬として合法的に販売されたことで蔓延した、という経緯があります。その観点で、トランプ氏の言ったことは的はずれです。

オピオイド危機の実態を取材するため、ロサンゼルスのダウンタウンの近くにある医療センターにやってきました。公的資金を受けてオピオイド依存症患者にセラピープログラムを施している民間施設です。CEOのジェレミー・マルティネス氏にオピオイド問題の現状について聞きました。

町山　ここの患者さんたちは、本当にごく普通の人たちですね……。

マルティネス　はい。彼らの大半は合法的に処方されたオピオイドから依存症になったんです。でも、オピオイドは高額なので、次第に安いヘロインを町にいる売人から購入して代用するようになるんです。ヘロインでも1グラムが約80ドルなので、それを買うために犯罪などに走ります。物乞いや盗み、売春で薬を手に入れます。

★合法的に処方された薬で薬物中毒になる人々

リハビリ中の薬物依存症患者に依存症になったいきさつを聞きました。

町山 職業はミュージシャンだそうですね。

患者 はい。働いている時は首の痛みに悩まされていました。そこで医師に相談したら、強めの鎮痛薬を処方してくれたんです。オピオイドでした。使用中はいいんですが、使用をやめたらまた痛みがぶり返したので、また病院に行って……としているうちにだんだんと処方される量が増えて、5年間服用しました。

町山 5年間ですか。

患者 完全に依存症です。その段階でやっと、医師からオピオイドを禁止されましたが、今ごろそれを言われても……と思い、すぐに街でヘロインを買ってしまいました。その結果がこれです（注射痕を見せる）。注射針から感染症になりました。

町山　痛々しいですね。
アメリカ人は世界の人口の約5%なのに、全世界のオピオイド依存者の約80%を占めています。なぜ、このようになったのでしょうか？　薬物依存症を治療する病院のCEO、ジェレミー・マルティネスさんに話を聞きました。

マルティネス　アメリカの医療界は、ここ20年ほどオピオイドの処方に寛容でした。私も医学生時代、「医師はもっとオピオイドを処方すべきだ」と教えられました。医師には痛みをコントロールすることが求められたんです。そして「オピオイドは依存症にならない」と言われました。でも、それは大きな間違いだったんです。

町山　20年前、何をきっかけに医師たちがオピオイドに寛容になったんですか？

マルティネス　1つ挙げられるのはオピオイド製造大手である**パーデュー・ファーマ社**が「痛みも治療されるべきだ」というキャンペーンを行ったことです。彼らは自社のオピオイド薬を盛んに宣伝し、医師たちに営業して、薬を処方させたんです。

パーデュー・ファーマ社は「痛み緩和センター」なる施設を作り、全米の医師を無料で招待し、オピオイドの効能と安全性をプロパガンダしていきました。これで処方の量が増大し、１９９５年から２００１年までの6年間にパーデュー・ファーマ社はオキシコンチンで28億ドルの収益を上げ、２０１７年までの累積収益は３５０億ドルに達しました。

しかし２０００年代、オピオイドの危険性を隠したマーケティングの責任でパーデュー・ファーマ社は、コネチカット※地図(71)、ウェスト・バージニア※地図(72)など各州の司法長官に訴えられ、２００７年に有罪になります。さらに多くの州が同社を訴え、２０１９年までは合計36州が訴訟に参加。80億ドルを超える賠償を抱えたパーデュー・ファーマ社は破産しました。

しかし、オピオイドを製造販売している製薬会社はパーデュー・ファーマ社だけではありません。今も全米でいくつもの州がオピオイド販売会社に対する訴訟を続けています。

近年のコロナ禍でオピオイド中毒が広がり、ＣＤＣ（Centers for Disease Control and Prevention／アメリカ疾病予防管理センター）は過剰摂取で10万人が亡くなったと発表。

２０２２年、バイデン大統領は一般教書演説でオピオイド流行の根絶を課題に挙げ、ＨＨＳ（United States Department of Health and Human Services／アメリカ保健社会福祉省）は、各州のオピオイド対策に15億ドルを助成することになりました。だが、オピオイドそのものの認可取り消しには至っていないので、根絶は難しいと言われています。

★★ アメリカの今を知るキーワード ★★

オピオイド
ケシの実から取れる阿片が原料の薬物。化学的に毒性を落として医療用として認可された。

FDA
薬や食料品を認可する政府機関。認可したオピオイド系鎮痛剤オキシコンチンなどの中毒による過剰摂取が問題になっている。

パーデュー・ファーマ社
大手のオピオイド製造会社。「痛みも治療されるべきだ」というキャンペーンを行い、オピオイドの販売を推進した。

第13章

★★★★★★★★★★

アジア系は「移民の優等生」から脱却できるか？

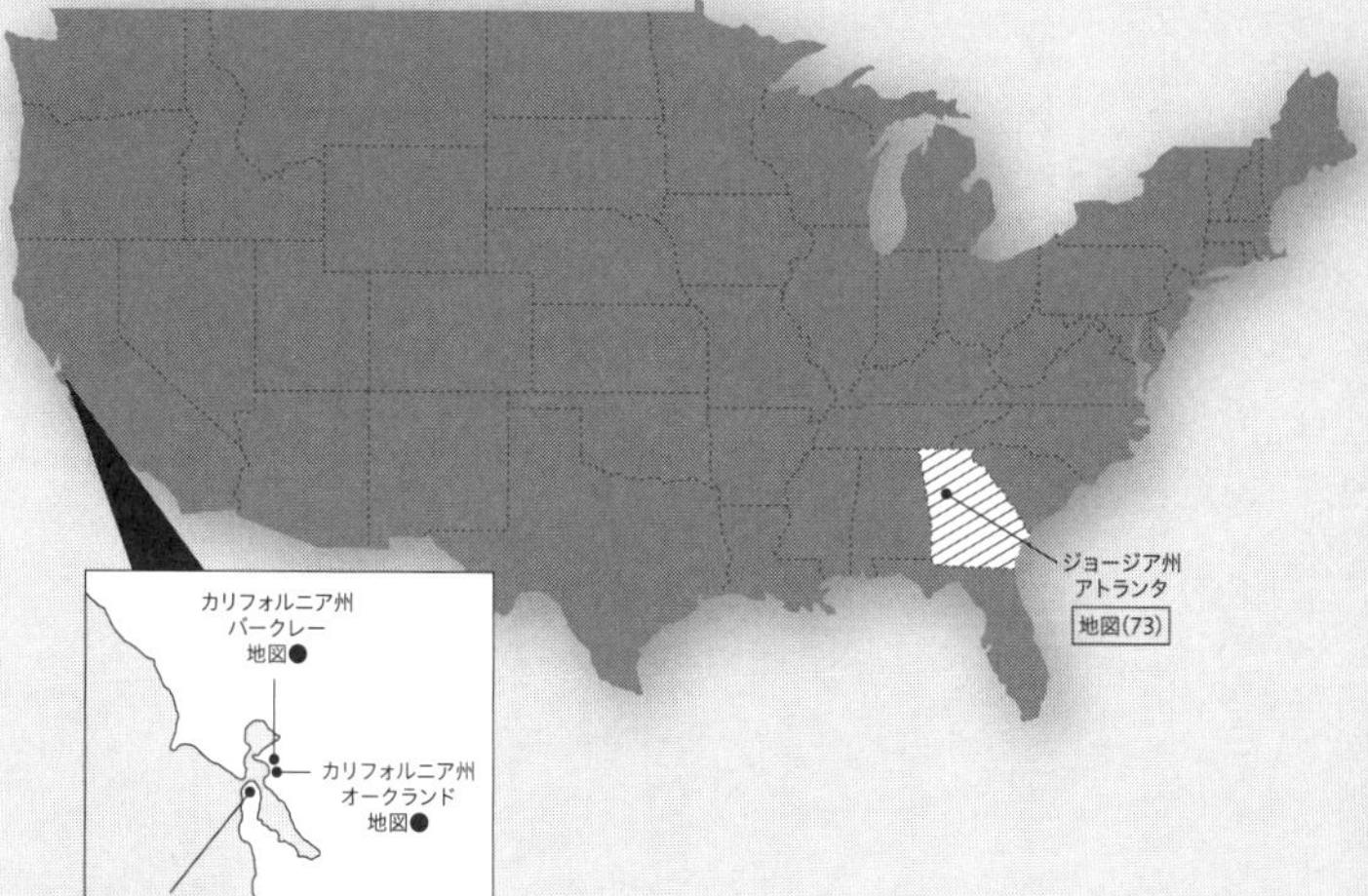

皆さんの中にも、海外で不愉快な言動に遭った経験のある方もいらっしゃるかもしれません。

アメリカでのアジア人差別の歴史は古く、今から19世紀にさかのぼります。

それから１００年以上が経った２０２０年、コロナ・パンデミックをきっかけに各地でアジア系に対する暴力事件が続発。当時のトランプ大統領が新型コロナウイルスを「チャイナ・ウイルス」「カンフルー（中国の武術「カンフー」と、インフルエンザ「flu」を組み合わせた造語）」などと呼びました。そしてこの言葉を契機として、アジア系人種全般へのヘイト・クライムが広がっていった、とバイデン政権は見ています。

★新型コロナで急増したアジア系ヘイト・クライム

町山　２０２１年３月16日、ジョージア州※地図(73)アトランタの３軒のマッサージ店で21歳の白人の男性が連続発砲事件を起こし、アジア系の女性６人を含む８人が死亡しました。

アメリカにはマッサージ・パーラーがたくさんあって、主にアジア系の人が働いている。性的なサービスを提供する店も混ざっているんです。犯人はその店の常連で、キリスト教の熱心な信者だから、セックスの誘惑を排除するために殺したと供述しています。

藤谷 しかし遺族は「そんな店ではなかった」と反発しています。殺された従業員の女性の年齢は一番の人上が74歳ですし、巻き添えで殺された白人女性は旦那さんと一緒に来ていました。

町山 つまり、普通のマッサージを受けるところだったのですね。犯人はキリスト教を言い訳にしていませんか？

藤谷 本当の動機は、この男のアジア人差別だと言われています。コロナ禍になってから、感染が始まったとされるのが中国だったことで、アジア系に対するヘイト・クライムが増えていますから。

藤谷 警察署の方が、最初の記者会見で犯人をかばうような発言をしたじゃないですか。「運が悪かったね」みたいな言い方で。そしたら翌日、その警察官のFacebookに「新型コロナウイルスはチャイナが持ち込んだ」と書かれたTシャツをアップしていたのが見つかったんですよね。

町山 トランプ大統領（当時）が新型コロナを「チャイナ・ウイルス」とか「カンフルー」と呼んで、新型コロナと中国を結びつけようとしたのが大きく影響しています。

藤谷 アジア系への憎しみを煽る危険性を顧みないひどい発言でした。

町山 日本の人は、「チャイナ・ウイルス発言が、韓国人が殺された事件と関係あるの？」と思うかもしれませんが、アメリカでヘイト・クライムをする人たちにとって、アジア人は基本的に全部同じです。中国系も韓国系も日本系もベトナム系も一緒くたに捉えています。

アジア人に対する暴力は、アメリカ各地で起こっています。サンフランシスコでは、2021年1月28日、84歳のタイ人の男性が暴漢に押し倒されて死亡しました。さらに、その3日後には僕の自宅の近所、オークランドで91歳の男性が。その日は他にも60歳の男性と55歳のイスラム教徒が暴行を受けました。しかし、犯人はすぐに見つかりませんでした。

藤谷 そこで、犯人を見つけようと懸賞金を提供したのが、バークレー出身で映画『ジオストーム』や『トゥームレイダー　ファースト・ミッション』などに出演するハリウッドスター、ダニエル・ウー氏、それにドラマ『LOST』や『Hawaii Five-0』に出演していたダニエル・デイ・キム氏です。

町山 2人ともダニエルですけど、キム氏は韓国系、ウー氏は中国系です。藤谷さん、ダニエル・ウー氏と知り合いなんですって？

藤谷 はい。友達なのでメールをしてみました。彼にも、日本の方たちに現状をぜひ知ってほしいという気持ちがありました。

★「従順なアジア人」の時代は終わった

2015年にスタートしてシーズン3まで制作された近未来アクションドラマ『バッドランド〜最強の戦士〜』。主人公サニーを演じるダニエル・ウー氏は、カリフォルニア州バークレー生まれの中国系アメリカ人。1990年代後半から香港をベースに映画俳優や映画監督として活動していた彼は、ジャッキー・チェンとの共演などを経てトップスターの仲間入り。現在はアメリカに戻り、活躍中です。

町山　お会いできてうれしいです。「サニー」さん（ダニエル・ウー主演ドラマ『バッドランド～最強の戦士～』の役名）。

ウー　こちらこそ。初めまして。

町山　『バッドランド』は、映画『マッドマックス』とアニメ『北斗の拳』を理想的に合体させたドラマですね。

ウー　『北斗の拳』は大好きな作品ですから、影響を受けています。

町山　『バッドランド』であなたが演じるサニーは、これまでのアジア系の男性のステレオタイプと正反対で、強いだけではなく、怖くてセクシーですね。

ウー　演じるうえで、多様性を持たせるよう心がけています。このドラマには、アジア系の主役だけでなく、多くの有色人種が出演しています。もちろんスタッフにもたくさん参加しています。香港や中国、イギリス、イタリアなど世界各地から来ていて、一丸となって仕事をしているんです。

町山　あなたは、カリフォルニアのバークレー生まれですよね？

ウー　ええ。今回、地元のオークランドでアジア系の人への差別的な暴力事件が連続して起こり、とてもショックを受けました。

藤谷 それで行動を起こそうと。

町山 あなたの地元で連続的に起こった暴行事件でした。これらの犯人がアフリカ系であったことも事態を複雑にしましたね。

ウー 事件後、すぐに友人の俳優ダニエル・デイ・キムさんから連絡がありました。一緒に何かやろうということになって、犯人の情報提供者に25万ドルの懸賞金を出すことにしました。そこから、全米で問題が注目されるようになりました。

SNSやメディアはアジア系の人に対するヘイト・クライムの犯人がアフリカ系であることを強調しているようですが、ヘイトの加害者は黒人だけではありません。たとえば、2020年7月にこんな動画が話題になったでしょう？　レストランでアジア系の家族が誕生日パーティーをしていたら、近くでディナーを食べていたIT企業のCEOから「お前ら出ていけ！　中国へ帰れ！」と怒鳴られたものです。このCEOは白人でした。

さらにダニエル・ウー氏は、アジア系に対するヘイト・クライムには、アジア系が古くから抱える「考え方」にも問題があると指摘します。

ウー アジア系の人が「従順なマイノリティ」であろうとする考え方も問題です。つまり、善良で、白人に同調し、目立つ行動はしない少数民族であろうと心がけてきました。それは移民一世の世代が自らを守るためには有効だったでしょう。しかし、二世三世はもうそこから脱却しないと、誰からもまともに相手にされない、どうでもいい存在と見られてしまいます。でも、今回、私たちは活動を通してはっきり主張します。

藤谷 「人種差別は何があろうと認めない」と。

ウー アジア系の人々は、「従順さ」ゆえに軽んじられてきましたね。

町山 白人の友人にそのように言うと、「そんなことはない」と否定します。他の人種の苦しみなど知ろうともしないんです。

ウー 「チャイナ・ウイルス」「カンフルー」など差別的な発言を繰り返したトランプ前大統領も、「差別じゃない」と反論していました。

ウー 自分が差別された経験がないからわからないんです。言葉による人種差別や中傷も、暴力と同じようにトラウマを残します。大統領がそういう発言をするなら、人々は差別をしても構わないと思うでしょう。

藤谷　トランプ氏の発言は、差別的な事件の増加を誘発したと思いますか？

ウー　もちろんです。トランプ氏は大統領を務めていた期間、白人至上主義者の票を失うことを恐れて、いかなる人種差別的な行為をも非難しませんでした。それは問題です。大統領は人々に、差別は間違っていると伝えなければなりません。でも、トランプ氏はそれを許していたのです。

藤谷　世間も、そんなトランプ氏にいつの間にか慣れて、大騒ぎはしませんでした。

ウー　私たちが懸賞金を出した理由は、犯人を捕まえることだけではなく、人々にアジア系へ差別の問題があることに気づいてもらうためです。

藤谷　その甲斐あって、注目も高まっていますね。

ウー　その後、素晴らしいことに、バイデン大統領がアジア系市民へのヘイト・クライムを非難する声明を出しました。国のトップがやっとアジア人差別が問題だという認識を示したんです。

★ブルース・リーのように「水のように」

ダニエル・ウー氏は、アジア系アメリカ人の差別に抗議した動機の1つに同じ中国系アメリカ人の大スター、ブルース・リーの存在があったといいます。

町山 あなたは武術家で、バークレーの出身ですよね？ あのブルース・リーと同じ。

ウー ブルース・リーの道場はうちの近所でした。ブルース・リーも私もベイエリアで生まれ、ハリウッドで成功しようとしましたが夢かなわず、香港映画界で仕事をしました。その後、私はやはりハリウッドで活躍したいと思って、アメリカに戻ってきました。ブルース・リーのドキュメンタリー映画『Be Water』（2020年）のために、僕も記事を書いているんですよ。

1973年、32歳の若さでこの世を去った伝説のスーパースター、ブルース・リー。1940年にサンフランシスコで生まれ、当時ハリウッド映画でアジア系アメリカ人には、侮辱的なステレオタイプの役しか回ってきませんでした。映画『Be Water』は、そんな苦境から栄光をつかむまでのブルース・リーの哲学を読み解くドキュメンタリーです。

ウー その記事はブルース・リーに宛てた手紙の形式で書いたんです。彼にアメリカで今起こっていることを伝えるように。あなたの『Be Water』＝水になれという考え方が、人種差別に向き合う方法を教えてくれます、と。

水は大きな力で何かにぶつかる時もあれば、避けながら流れる時もあります。差別にもそのように対処できればと思います。ブルース・リーは自分の武術に水の性質を取り入れました。時には強く、時には柔らかく、状況に応じて変化するんです。差別に対しても、たとえば、相手が硬くて動かなければ、水のように周囲を自由に動き対処するのです。

町山 ブルース・リーは、テレビドラマ『グリーン・ホーネット』（１９６６年）の運転手カトー役で人気が出た後、『燃えよ！カンフー』の企画をハリウッドに売り込みました。開拓時代の西部を、ブルース・リー扮する中国移民の武術家が旅するＴＶドラマです。しかしアジア系への差別のせいで彼は主演できませんでした。

ウー 私からすれば、『燃えよ！カンフー』はエンターテインメント史に残る茶番です。

アジア系の英雄のアイデアが盗まれたんです。アジア系が主人公なのに、当時のハリウッドはアジア系のブルース・リーを主役にできず、代わりに白人のデヴィッド・キャラダインをキャストしたんです。これはあまりに侮辱的です。だから私は『バッドランド』の最初の記者会見で、『燃えよ！カンフー』の過ちを正すつもりだと発言しました。今回はアジア系の私が主役で、ブルース・リーが40年前にやるはずだったことをやるつもりだと。

町山 あなたは、『香港国際警察／NEW POLICE STORY』（2004年）や『新宿インシデント』（2009年）などで築いた大スターの地位を捨てて、アメリカに戻ったわけですよね。

ウー 「なぜアジアのスターの地位を捨ててアメリカに戻り、俳優をやろうとするんだ？」とよく聞かれます。でも、僕は自分だけのためにやっているわけではなく、アメリカで映画スターになりたいと願うアジア系の若者たちに、「夢は叶えられる」と示すためなんです。

町山 次の世代に夢を繋ぐことを考えてのことですね。

ウー 私たちアジア系は、親から「医師や弁護士になれ、芸能界はやめておけ」と言われて育ちました。目立たずに生きろと。しかし80年代まで私たちアジア系が映画やテレビに進出しなかったことで、今も「アジアへ帰れ！ 祖国へ帰れ！」と言う人たちがいます。私がヘイトと闘い、ショービジネスで成功しようと努力するのは、次の世代が差別されない社会にしたいからです。

★勤勉だから嫌われたアジア人

町山 アメリカ合衆国でのアジア人差別は、19世紀に中国人が移民してきて始まりました。アジア人たちは最初は貨物船の乗組員、その後港湾労働者を経て、開拓期の西部で保線員として働き、稼いだお金で起業しましたが、ものすごく働き者でしたから、他の移民たちから激しく憎まれました。
特に鉄道工事では、アイルランドやイタリア移民の労働者がストライキをやる時に中国系の人たちが参加しなかったことも疎まれました。

藤谷 いい迷惑と思われてしまいますよね。

町山 アジア系以外の人々は、労働者の地位を上げるための当然の権利としてストライキするんですが、アジア系にはそういう考えがあまりなくて、みんな実直に勤勉に働くので、彼らの目には「裏切り者」として映ったんです。
その後、アジア系は移民を規制され、排斥運動が続きました。そして1941年の日本による真珠湾攻撃で、アジア人に侵略される恐怖が現実になったんです。

★文明の衝突

町山 戦後、1980年代に、再びアジア系ヘイトが沸き上がります。原因は、高い経済成長率を誇った、自動車メーカーをはじめとする日本企業のアメリカ進出です。

藤谷 当時、アメリカでは日本製品がハンマーで叩きつぶされていましたよね。

町山 1982年には、自動車産業の街デトロイトで、中国系のヴィンセント・チン氏が日本人だと思われて、クライスラーで働く彼は白人に殴り殺されました。
日本経済のピークは80年代で終わりを告げましたが、90年代からは中国や韓国が経済的にアメリカを脅かし始めます。そして1996年、アメリカの国際政治学者サミュエル・P・ハンチントンが1996年に『文明の衝突』を発表します。ハンチントンは、今までの戦争は国家の国境争いや、イデオロギー、つまり共産主義と資本主義の戦争だったけれども、これからは、文明と文明の衝突が対立の軸になる。それはアジア系対キリスト教系の戦争になるだろうと主張しました。この本に大きく影響されたのがスティーブン・バノン氏です。

藤谷 トランプ前大統領の側近ですね。

町山 はい。大統領選に立候補したトランプ氏の首席戦略官を務めたバノン氏は、トランプ氏に白人文明の危機について進言しました。そしてトランプ氏は「メキシコ系は強姦魔」と演説し、大統領になるとイスラム系国からの入国を禁止し、新型コロナを「チャイナ・ウイルス」と呼びました。

藤谷 恐怖心を煽り続けましたね。

町山 そこからくる差別感情を利用して、支持を集めたんです。ピュー・リサーチ・センターが2021年3月4日に公表した調査結果では、アメリカの成人の約9割が中国に対して「敵」「ライバル」と回答しています。ただ、中国の脅威と、中国系アメリカ人に対する差別は本来まったく関係ないんですよ。

藤谷 国と人を一緒にするな、ということですよね。

町山　日系人収容所の経験がある俳優、ジョージ・タケイ氏は、アジア系へのヘイト・クライムに対して強いメッセージを発表しました。「共和党のリーダーたちは、反アジアの感情を煽るのをやめなさい。あなた方は自分たちが解き放ったものを恥じるべきだ」とツイートしたんです。

ハリウッドで活躍するアジア系俳優のさきがけであるジョージ・タケイ氏に、お話をうかがいました。

★60年代日本を沸かせた、2人のカトー

ジョージ・タケイ氏は1937年ロサンゼルス生まれの日系二世。1966年から放送されたTVドラマ『スタートレック』（邦題『宇宙大作戦』）で、宇宙艦隊の巡洋艦エンタープライズ号の主任パイロット、ヒカル・スールー（日本語版ではカトー）を演じました。これは『グリーン・ホーネット』のブルース・リーと双璧をなす、アジア系俳優として初めてアメリカのテレビドラマのメイン・キャラクターでした。

1979年から1991年にかけて6作製作された映画版スタートレックシリーズにも

出演、2006年から2010年に放映された大ヒットドラマ『HEROES／ヒーローズ』では、マシ・オカ演じる日本人超能力者ヒロの父親、カイト役で存在感を示しました。

町山 僕が幼い頃、日本で見ていた2つのアメリカ製テレビドラマでは、両方ともカトーが活躍していました。『宇宙大作戦』のあなたと、『グリーン・ホーネット』のブルース・リーです。

タケイ その通りです。『宇宙大作戦』の撮影が始まった頃、隣のスタジオでは『グリーン・ホーネット』を撮影していました。『宇宙大作戦』で共演していたスコッティ役のジェームズ・ドゥーアンが、休憩時間にスタジオの外でタバコを吸っていたので、私も外へ出てお喋りをしていました。そこに隣のスタジオから黒ずくめの衣装を着た人物が出てきて、いきなり武術の動きを始めたんです。私たちはしばらく見とれていました。しばらくしてスタッフが「ブルース、出番です」と呼びに来ると彼は戻っていきました。

町山 『宇宙大作戦』は、日本の少年たちにとっても憧れのドラマでした。23世紀の未来では、アジア人が宇宙船のパイロットになっていたからです。

タケイ　それは、スタートレックの生みの親であるプロデューサー、ジーン・ロッデンベリーの才能によるものです。
1960年代はアメリカにとって激動の時代でした。キング牧師が指導した公民権運動がありました。ベトナム戦争も続いていました。アメリカ国内は分断され、壊れていきました。そのような時代にジーン・ロッデンベリーはテレビドラマを通して理想的な未来世界を示したんです。彼は宇宙船を地球という惑星に見立てました。宇宙船の乗組員に多様性を持たせた。異なる立場や人種、異なる文化の人たちが1つになって、私たちの社会や地球を前進させるという意味なんです。

★本当の問題は貧困

町山　南部でやっと黒人の投票権が守られた翌年に『宇宙大作戦』では、黒人女性のウフーラ中尉という士官が登場していました。キング牧師もスタートレックのファンだったと聞いたことがあります。キング牧師とお会いしたことはありますか？
タケイ　はい。私も公民権運動に参加していました。

町山　あなた自身が、アメリカの歴史そのものですね。

タケイ　日系アメリカ人としての経験が、私の人生を作っています。

ジョージ・タケイ氏が5歳の時、日本軍が真珠湾を奇襲しました。そして、彼のようにアメリカ生まれでアメリカ国籍を持っていても、日本人を祖先に持つ者はすべて敵性移民とされて、およそ12万人が強制的に隔離施設へ収容されたんです。彼はその体験を後世に伝える回顧録『〈敵〉と呼ばれても』を出版。さらに自身の収容所体験をもとに制作されたブロードウェイミュージカル『アリージャンス〜忠誠〜』が、2021年に日本でも上演されました。

タケイ　私の父は山梨県で生まれました。幼い頃アメリカに移住し、アメリカ国籍を持っていました。しかしアメリカの地で、強制収容されました。それを推進したのは当時カリフォルニア州地方検事で、のちに連邦最高裁判所の長官を務めたアール・ウォーレンです。彼は「日本人は何を考えているかわからない。日系人が問題を起こす前に隔離しよう」と言いました。

町山　恐怖による差別ですね。

タケイ　世論も彼の発言に同調しました。強制収容はアメリカの司法制度を無視しています。私たちには若い世代にこの事実を伝えていく責任があります。

町山　どうしたら差別はなくなるのでしょう。

タケイ　貧困がある限り続くと思います。アメリカには十分な教育を受けていない低所得層がいて、彼らは生活の不満や怒りを常に他の少数派にぶつけるからです。

★シュワルツェネッガーに怒ってカミングアウト

ジョージ・タケイ氏は２００５年にゲイであることを公表。２００８年に20年来のパートナー、ブラッド・アルトマン氏と結婚しました。彼は現在、ＬＧＢＴをサポートする「カミング・アウト・プロジェクト」のスポークスパーソンを務めています。

タケイ　９歳くらいの頃には既に、男の子のほうに興味があることを自覚していました。そう感じるのは自分だけだと思っていたので、孤独でした。10代の頃、私はハンサムな映画スター、タブ・ハンターに夢中になりました。ところが1955年、彼はスキャンダル雑誌でゲイであることを暴露されました。
私も、ゲイであることを知られたら罰を受けると知って、恐怖を覚えました。俳優になった1960年代から70年代にかけて、ゲイの解放を主張する運動が始まりました。私はとても罪悪感を覚えました。問題を抱えている人が行動しているのに、自分は何もできなかったからです。
しかし、ついに2005年、転機が訪れます。カリフォルニア州議会で**同性婚容認法**が可決されたんです。

タケイ　非常に励みになるうれしい出来事でした。間違いなく州知事は署名してくれると期待しました。アーノルド・シュワルツェネッガー氏でしたから。しかし、彼は共和党なので法案への署名を拒否したんです。怒りを覚えた私は、今こそカミングアウトして闘おうと決心したんです。

町山　シュワルツェネッガー氏があなたの闘志に火をつけたんですね。

タケイ　２００8年5月、カリフォルニア州最高裁判所は、同性婚を容認しないのは違憲だと判決しました。そして私は、21年間もパートナーだったブラッド・アルトマンと結婚できたんです。

同性婚で注目されたジョージ・タケイ氏は、当時トランプ氏がMCを務める番組にゲスト出演しました。

タケイ　当時、ニューヨーク州ではまだ同性婚は認められていませんでした（２０１１年に合法化）。ですから私はトランプ氏と1対1で、同性婚の権利について話し合いました。男女間の結婚しか認めない彼に私は言いました。「男女間の結婚だからといって必ずしもうまくいくとは限りません。真の結婚とは深く愛し合い、互いに強く結ばれた2人の人間が、その関係を守りたいと考えてするものです」。それでも、彼の考えは変わらなかったですけれどね。

町山　スタートレックのような多様性のある未来は、まだまだ遠いでしょうか。

タケイ　いいえ、近づいていますよ。1969年にスタートレックがいったん終了した時、人類は2人の人間を月面に着陸させました。そして今、女性が月に着陸する計画も進んでいます。本来は男性と同じ時に着陸すべきでした。でも、確実に進歩しています。SFの世界が現実になってきているんです。希望を持ち続けてください。私たちにはそれができる力があります。

藤谷　ありがとうございます。希望が持てました。

タケイ　最後はこのハンドサインでお別れしましょう（スタートレックに登場するバルカン人の挨拶「長寿と繁栄を」）。

2022年2月18日、バイデン大統領は、第二次大戦中の日系人強制収容の根拠となった大統領令署名から80年目を迎える日の前日に声明を発表。約12万人が正当な理由もなく家や仕事、財産だけでなく、自由も奪われたとして「二度とないように」と日本語を使い、同じ過ちを繰り返さないと約束すると宣言しました。バイデン大統領はこの強制収容を「アメリカの歴史における最も恥ずべき章の1つ」だと強調しています。

★★ アメリカの今を知るキーワード ★★

スティーブン・バノン

トランプ前大統領の側近。大統領選に立候補したトランプ氏の首席戦略官を務めた。

同性婚容認法

カリフォルニア州議会で2005年に可決されたが、当時の州知事が署名しなかった。

著者略歴

町山智浩（まちやま・ともひろ）

映画評論家、コラムニスト。1962年東京生まれ。早稲田大学法学部卒。宝島社社員を経て、洋泉社にて『映画秘宝』を創刊。現在カリフォルニア州バークレーに在住。ＴＢＳラジオ「たまむすび」レギュラー。週刊文春などにコラム連載中。映画評論の著作に『「映画の見方」がわかる本』『ブレードランナーの未来世紀』『トラウマ映画館』『トラウマ恋愛映画入門』など。アメリカについてのエッセイ集に『底抜け合衆国』『アメリカ人の半分はニューヨークの場所を知らない』などがある。

SB新書　601

引《ひ》き裂《さ》かれるアメリカ

銃《じゅう》、中絶《ちゅうぜつ》、選挙《せんきょ》、政教分離《せいきょうぶんり》、最高裁《さいこうさい》の暴走《ぼうそう》

2022年12月15日　初版第1刷発行
2022年12月28日　初版第2刷発行

著　者　町山智浩《まちやまともひろ》+BS朝日《あさひ》「町山智浩《まちやまともひろ》のアメリカの今《いま》を知《し》るTV」制作《せいさく》チーム

発行者　小川 淳
発行所　SBクリエイティブ株式会社
〒106-0032　東京都港区六本木2-4-5
電話：03-5549-1201（営業部）

協　力　BS朝日／テレビ朝日／JCTV
企　画　藤川克平（BS朝日）
装　丁　杉山健太郎
本文デザイン・DTP　株式会社ローヤル企画
編集協力　秦野邦彦、有限会社あかえんぴつ
編　集　小倉 碧（SBクリエイティブ）
印刷・製本　大日本印刷株式会社

本書をお読みになったご意見・ご感想を下記URL、
または左記QRコードよりお寄せください。

https://isbn2.sbcr.jp/14607/

落丁本、乱丁本は小社営業部にてお取り替えいたします。定価はカバーに記載されております。本書の内容に関するご質問等は、小社学芸書籍編集部まで必ず書面にてご連絡いただきますようお願いいたします。

ISBN 978-4-8156-1460-7